10代から身につけたい

ギリギリな自分を助ける方法

精神科医 井上祐紀
Yuki Inoue

KADOKAWA

はじめに

この本を手に取ってくれて、本当にありがとうございます。

この本は、おもに中学～高校生が、日々の生活の中で学校に行くことのつらさ、家にいることの苦しさ、自分自身についての悩みなど、さまざまな生きづらさを感じたときに、解決のヒントを提供することを目的に書かれています。

あなたが苦しいできごとを体験しているのなら、まず「今、何が起きているのか」を考え、実際に起こったできごとをまとめてみてください。次に「そのできごとを自分はどう感じたのか」を振り返っていきます。そうすると「自分がそのできごと以降、どうかわってきたのか」が見えてきます。

この3つをまとめることができると、あなたは自分の体験している苦しさを自分で分析することができるようになっています。苦しさにただただ飲み込まれてしまうことが減り、解決に向けて一歩踏み出せる準備ができるはずです。

この本には皆さんが抱える問題の解決へのヒントがつめ込まれていますが、それを読む中でどうしても気づいてほしいことがひとつあります。

それは、「自分は守られるべき存在だ」ということです。

苦しい体験をすると、自分がどんな人間なのか、という大切な考え方すらかわってしまうことがあります。そして自分を責めたり、よくない人間だ、愛されない・価値のない人間だと感じてしまったりすることさえあるのです。

だからこそ「自分は守られるべき存在だ」という考えを、すべての子どもたち（もちろん大人になっても）に思い出してほしいのです。

この本が少しでも皆さんの助けになることを祈っています。

井上祐紀

Chapter 1 自分を助けるためにできること

Chapter 2 友だちの悩み

Chapter ▶ 3 恋愛の悩み

Chapter ▶ 4 家族の悩み

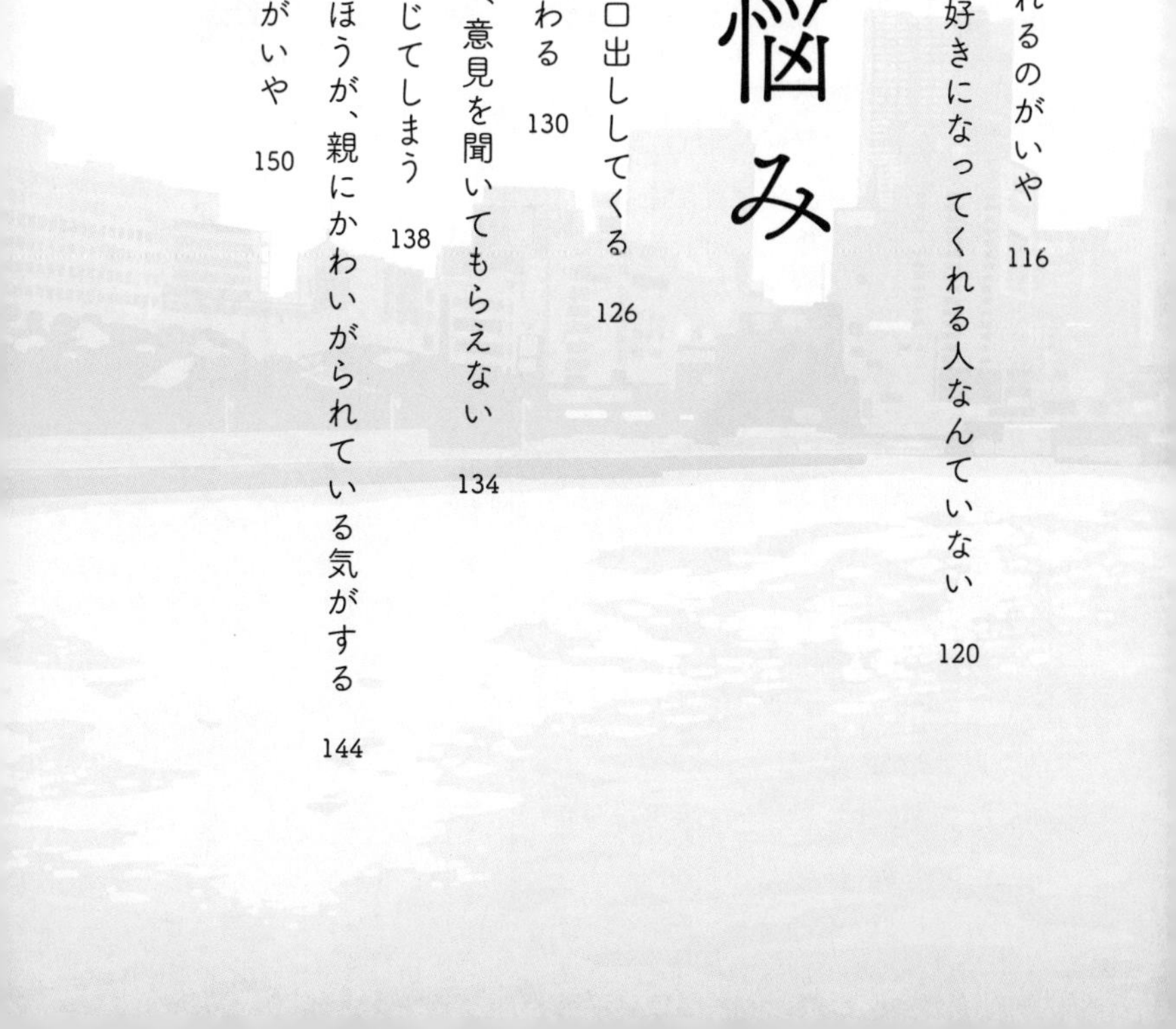

Chapter 5

自分自身の悩み

STAFF

デザイン　菊池 祐

カバー・章扉イラスト　456

本文イラスト　竹内 舞

DTP　東京カラーフォト・プロセス株式会社

校正　麦秋アートセンター

編集協力　野口久美子

編集　小向佳乃

Chapter 1

自分を助けるために できること

「学校に行かないこと」を選ぶ子はたくさんいる

学校に行かない。

実はこれ、そんなに特別なことではありません。たとえば中学生なら、日本で約※12万人が学校に行っていないんです。

学校に行きたくないのは、ひとりで乗り越えるのが難しい問題を抱えているから。そして自分を守る手段として、「学校に行かない」ことを選択しているわけです。同時に、何がつらいのか、何がいやなのかがよくわからず、対処することができないままがまんを続けている……という人も少なくないでしょう。

まずは、自分の「しんどさ」に気づくことから始めましょう。ストレスをため込んでいると、「気持ち」「体」「ふるまい」にさまざまなサインが現れます。左の例を参考に、自分を見つめなおしてみてください。

▼気持ちに現れるストレスサインの例

- □学校に行くのが不安
- □学校のことを考えると涙が出そうになる
- □いつもイライラしている
- □好きだったことにも興味がもてない

▼体に現れるストレスサインの例

- □朝、起きられない
- □平日の朝は体調が悪い
- □眠れない
- □食欲がない

▼ふるまいに現れるストレスサインの例

- □登校の準備が進まない
- □勉強に集中できない
- □人と話すのが面倒になる
- □怒りっぽくなる

※（出所：文部科学省「平成30年度児童生徒の問題行動・不登校等生徒指導上の諸課題に関する調査結果について（2019）」）

つらいときの自分を助ける3つのステップ

自分がつらさを感じていることに気づいたら、それをやわらげる方法を考えていきましょう。このときに用心してほしいのが、「このぐらい大丈夫」「たいしたことじゃない」などという心の声です。

自分の気持ちを考えるとき、常識と照らし合わせたり人とくらべたりする必要はありません。ものごとの感じ方や受け止め方は人それぞれです。だれかにとっては気にならないようなことで自分が傷つくこともあるし、その反対だってある。だから、自分がつらいと思うことはつらいし、いやだと思うことはいや。シンプルにそう思っていいんです。そして、自分にとってつらいことやいやなことには、ていねいに対処していく必要があります。

人間に「強い人」も「弱い人」もいません。だれもが、強さも弱さももっています。自分の力が足りない部分は、だれかに補ってもらえばいい。自分で解決しなければ！　なんてがまんしたりがんばりすぎたりしなくていいんです。

なぜかというと、**あなたたちはみな「守られるべき存在」だから。**「がまんするべき存在」なんかではないからです。

つらさを感じるときに試してみてほしいのが、自分を助けるための3つのステップです。**流れの基本は、「整理する」→「つながる」→「対処する」。**

これさえすれば、どんな悩みも今すぐすっきり解決！　というわけにはいかないけれど、自分の感じていることを知り、状況をよい方向に向けていくヒントになると思います。

整理する1

「何がつらいのか」を探る

3つのステップでもっとも大切なのが、「整理する」段階です。自分に何が起きているのか正しく知ることができなければ、どこにつながり、どんな対処をすればよいのかもわからないからです。

つらさや苦しさを感じるけれど、その正体がわからない……という場合は、整理するべきことを探す作業からスタートします。まず次ページの表の左側にストレスを感じる場面を、右側にそれぞれの場面でのつらさが10点満点で何点かを書き入れます。つらさが大きかったものから、整理を始めてみましょう。

何がどのぐらいつらいのか？　を知ろう

ストレスを感じる場面	つらさのレベル（10点満点）
例 友だちとけんかしたことを思い出す	9
テストが平均点以下だった	5

整理する2

起こった

ーつらさのきっかけとなった「できごと」は？

自分が何に強いストレスを感じているのかがわかったら、次にそれを整理していきます。「整理する」ことは自分の気持ちと向き合う作業になるため、つらいと思うこともあるかもしれません。つらくなったときは、いったんストップ。時間をおいて、「またやってみてもいいかな」と思えるときに再開しましょう。自分のペースで、無理なくできる範囲のことから始めてみてください。

整理の基本は、「起こった」↓「感じた」↓「どうなった」を洗い出し、書きとめていくことです。第一段階として、まずは起こったことに目を向けます。

たとえば15ページの例では、友だちとけんかしたことを思い出すと強いストレスを感じています。このことについて整理する場合、「起こった」に当てはまるのは、「友だちとけんかした」ことです。

「起こった」として挙げるのは、実際の「できごと」だけにします。この作業では、「なぜ起こったのか」「だれが悪いのか」といった原因やきっかけを考える必要はありません。「整理する」際に大切なのは、何が起こったのかに注目すること。そして、「こんなできごとがあると自分はつらくなるんだな」と気づくことだからです。

そのため、「起こった」こととして挙げられるのは、シンプルなものがほとんど。「この子はいつも悪意をもってひどいことを言ってくる」「この子は事実をねじ曲げている」など、自分の印象や考えまで含めないように注意しましょう。あくまでも、そのときに起きた「できごと」だけをまとめていきます。

整理する3

感じた

―「できごと」が起こったときの気持ちは？

「整理する」作業の第二段階は、「感じた」を挙げていくことです。

第一段階の「起こった」で、つらさの原因となっているできごとが見つかりました。次に取り組みたいのが、**そのできごとを自分がどう感じたか？に目を向けていくこと**なんです。

ものごとの感じ方は人それぞれで、感情は言葉にできるものだけではありません。ですから「感じた」として挙げることは、どんな表現でもかまいません。「モヤモヤした」「ワーッて感じ」のようなあいまいな言い方でもいいし、自分にしかわからない言い回しでもいい。記号だって絵だって、ぐしゃぐしゃの線だってかまいません。とにかく、感じたことをそのまま書きましょう。

ちなみに、「整理する」作業を書きとめておくのは、後から自分で見直すことができるようにするためです。他人に見せるものではないので、自分の感情を素直にはき出してしまって大丈夫です。

「感じた」を挙げていく作業をする際に注意したいのは、感じたこと（感情）と考えたこと（思考）をごちゃ混ぜにしないことです。たとえば、「ひどいことを言われて悲しくなった」は感情。でも、「ほかの友だちにまでへんな子だと思われそうだ」は思考です。「まわりの人はどう思うかな？」と考えたことまで含まれていますよね？

この段階のポイントは、自分の感情だけをしっかり見つめること。そして本当の気持ちを敏感にキャッチできるようになることです。

整理する4

どうなった

―「できごと」の後でどうなった？

「整理する」作業のしめくくりは、「どうなった」のかを知ることです。

つらいと感じるできごとがあり、そのできごとによって、あなたはいろいろなことを感じました。そのせいで、「以前とはかわったこと」を見つけていくのが「どうなった」の段階でしたいことです。

私たちは、まわりからさまざまな影響を受けながら生きています。よいことがあると、自然に気分が上がりますよね？　そして反対に、いやなことがあればヘコんだり苦しんだりしてしまいます。だから今、悩んでいることがあるのなら、「つらい思いをする前の自分」とは何かがかわっていることが多いのです。

まず、つらいできごとが起こる前の自分や、その頃の生活を思い出してみましょう。次に「今」を見直してみる。このとき、以前と違っている点があれば、それが「どうなった」になるわけです。たとえば「友だちとけんかした」前と後では、「その子と口をきかなくなった」などの変化があるかもしれません。

「どうなった」の内容は、行動でも感情でもかまいません。でも「感じた」と同様、「自分のこと」だけを挙げていきます。この作業では、**他人やまわりがどうかわったかを考える必要はありません。**つらいできごとの影響で、あなた自身が「どうなった」かに気づくことが大切なんです。

2章からは、それぞれの悩みについて「起こった→感じた→どうなった」の流れに沿って整理したものを紹介しています。悩みの内容は違っても、「整理する」作業を自分で試してみるときの参考になると思います。

つながる1

つながる相手ってどこにいる？

悩みごとは、つらさや苦しさが大きくなるほどひとりで解決するのが難しくなっていきます。だから、「学校に行けない」と感じてしまうほどのつらさを感じているのなら、だれかと「つながる（＝相談する）」ことが必要です。

つながる相手（＝相談者）には、あなたが信頼できる人を選びます。自分の話をきちんと聞いてくれる人、共感してくれる人、楽しく会話ができる人……などが候補者になるでしょう。

理想的なのは身近な大人。それが難しい場合は友だち世代の中から探します。

まず大人に目を向けてみてほしいのは、悩みごとの内容によっては、子どもだけでは解決できないこともあるからです。

また、つながる相手はネット上の友だちなどではなく、実際の知り合いであることも大切です。どうしてもよい人が見つからない場合は、専用の相談窓口などを利用して専門家に相談する方法もあります(190ページ)。つながる相手が見つかったら、前で紹介した「起こった↓感じた↓どうなった」の流れをふまえて、自分の気持ちを話してみましょう。

このとき、問題をズバッと解決するようなアドバイスをもらえなくてもがっかりしないでください。人とつながる目的は、何があったのかを理解してもらい、共感してもらうこと。思いを口に出すことは、自分の気持ちを整理し、理解するのに役立ちます。悩みごとを解決するまでの道のりは遠いけれど、「わかってくれる人」を見つけることで、間違いなく一歩前進することができます。

つながる2

安全な相談者と距離をおくべき相談者

つながる相手を探すときには、少し注意が必要です。一見、「いい人そう」や「優秀そう」に見える人が、自分にとってよい相談相手とは限らないからです。つらさを打ち明けるのは、とても疲れること。共感を求めて話したのに、説教をされたり正論を並べられたりしたら、さらに疲れてしまいますよね？　だからつながる相手は、「あなたに害を及ぼさない人」がいいんです。私はこれを「安全な相談者」と呼んでいます。

安全な相談者とは、①結論を押しつけない、②あなたの感情を否定しない、

③あなたのほうが多く話すことができる、の3つを満たす人。反対に、①〜③のどれかが欠けている人は「距離をおくべき相談者」です。

ほかにもポイントがあるので、この人はどうかな？ と迷ったときは、相手のタイプを見きわめるヒントにしてみてください。

安全な相談者

- あなたの感情を否定しない
- あなたの考えを尊重してくれる
- 先回りして結論を言わない
- わからないことはわからないと言う
- 話をよく聞き、共感してくれる
- 秘密を守ることができる

⇕

距離をおくべき相談者

- あなたの感情に立ち入ってくる
- 決めつけが多い
- 結論を押しつけてくる
- 知ったかぶりをする
- 相談者のほうが多く話している
- 口が軽い

対処する1

いい感じの「もともとの自分」に近づける工夫

悩みごとがあると、毎日つらいことしかないように思えてきます。でもよく考えてみると、「いやじゃないとき」もあるものです。たとえばおいしいものを食べたときや、好きな音楽を聞いたとき。「わーい、最高!」というほどではないけれど、まあまあ「いい感じ」の「悪くない」気分になっているはずです。

実はこの状態こそ、悩みを抱える前の「もともとの自分」です。でも何かが起こり、「いやだ」「つらい」などと感じることで、「もともとの自分」が見えにくくなってしまっているわけです。

つらさをやわらげるには、リラックスすることが有効な場合があります。このページで紹介する3つの方法を、まずは2分間ぐらい試してみてください。いい感じの「もともとの自分」に、少しずつ近づけるかもしれません。

自分でできる リラクゼーション法

バタフライハグ

両腕を曲げ、胸の前でクロスさせる。その姿勢のまま、指先で左右交互に胸を軽くたたく。リラックスできる場面を思い浮かべながら行うとよい。

ラーメン呼吸法

おいしそうなラーメンを想像し、まずはゆっくりと香りをかぐように鼻から息を吸う。その後、熱いラーメンを冷ますつもりで、口からフーッと長く息を吐く。

筋《きん》弛《し》緩《かん》法

両手でこぶしをつくり、力を入れて5秒間握る。その後、手を開き、15秒間完全に力を抜く。握る→力を抜く、の動作をくり返す。力を入れた部分が徐々にゆるんでくるのを感じる。

対処する2

「いやな気分」を観察してみる

つらいこと、いやなことがあったときは、その問題を「整理」してみましょう。どんなことが起こり、自分はどんな気持ちになったのか。その結果、「もともとの自分」からどのようにかわったのか。前で紹介した方法を使って自分なりに考え、できる範囲で書き出してみてください。

整理していく段階で、あなたは大切なことに気づくかもしれません。それは、いやな気持ちは、必ず何かが「起こった」ときに生まれている、ということ。

つまり、不安もつらさもイライラも、もとからあなたの中にあるわけではあり

ません。「できごととセットになって発生する」ものなんです。

ということは……？

いやな気持ちは、外の世界から体の中に入ってくる小さなモンスターのようなもの。上手に闘えば、自分の力で追い払えることもある、ということです。

「感じた」ことのつらさのレベルがそれほど高くなく、自分で対処できるかな？　と思える場合は、前で紹介したリラクゼーション法を試してみましょう。終わった後、つらさがやわらぎ、「もともとの自分」に近づけたように思えるなら、いやな気持ちとの闘いはあなたの勝ちです。

ただし、すべての問題を自分で解決しよう！　なんてがんばりすぎないように注意してください。病気にも、自分の力で治せるものと病院での治療が必要なものがありますよね？　悩みごとも、これと同じ。とてもつらいと感じる深刻な問題には、だれかとつながり、時間をかけて対処する必要があります。

対処する3

つらい考えには、ふたつの技で対抗する

「いやな気分」には、実は感情そのものだけがかかわっているわけではありません。多くの場合、感情に思考が加わってつらさを大きくしているんです。

まず、感情と思考の区別のしかたを整理しておきましょう。感情は「言葉にしづらい気持ち」。たとえば人に伝えるときは「不安」という言葉でまとめているけれど、実際には、なんだかモヤモヤしたり、先のことを考えるとドヨーンとした気分になったり、という状態のことです。

これに対して思考は「言葉を使って考えたこと」です。たとえば「しかられ

て悲しい」は、感情。でも、「しかられる私って、ダメな人間だ」は、思考です。ほとんどの場合、いやな思考といやな感情はセットになっています。そして、あなたの行動をかえてしまったり、体にも影響を及ぼしたりするんです。

悩みごとを整理するとき、まず目を向けたいのは感情です。つらさを増すだけの思考には、注目しすぎないようにしてみるのです。つらい、ネガティブな思考が働きはじめたな、と思ったときに役立つスキルがふたつあります。

ひとつめが、「ふーんスキル」。「私ってダメな人間だ」という思考が出てきたら、それに一旦目を向けながらも「ふーん」と軽く流して終わりにします。

ふたつめが、「言い返しスキル」。「私ってダメな人間だ」という思考が出てきたら、「私、別にダメじゃないし！」などと、いやな考えをビシッとやっつける！　こうした技でつらい、ネガティブな思考を止めることができれば、感情や行動、体の反応などもよいほうにかわっていくかもしれません。

つらさはこうして深まっていく

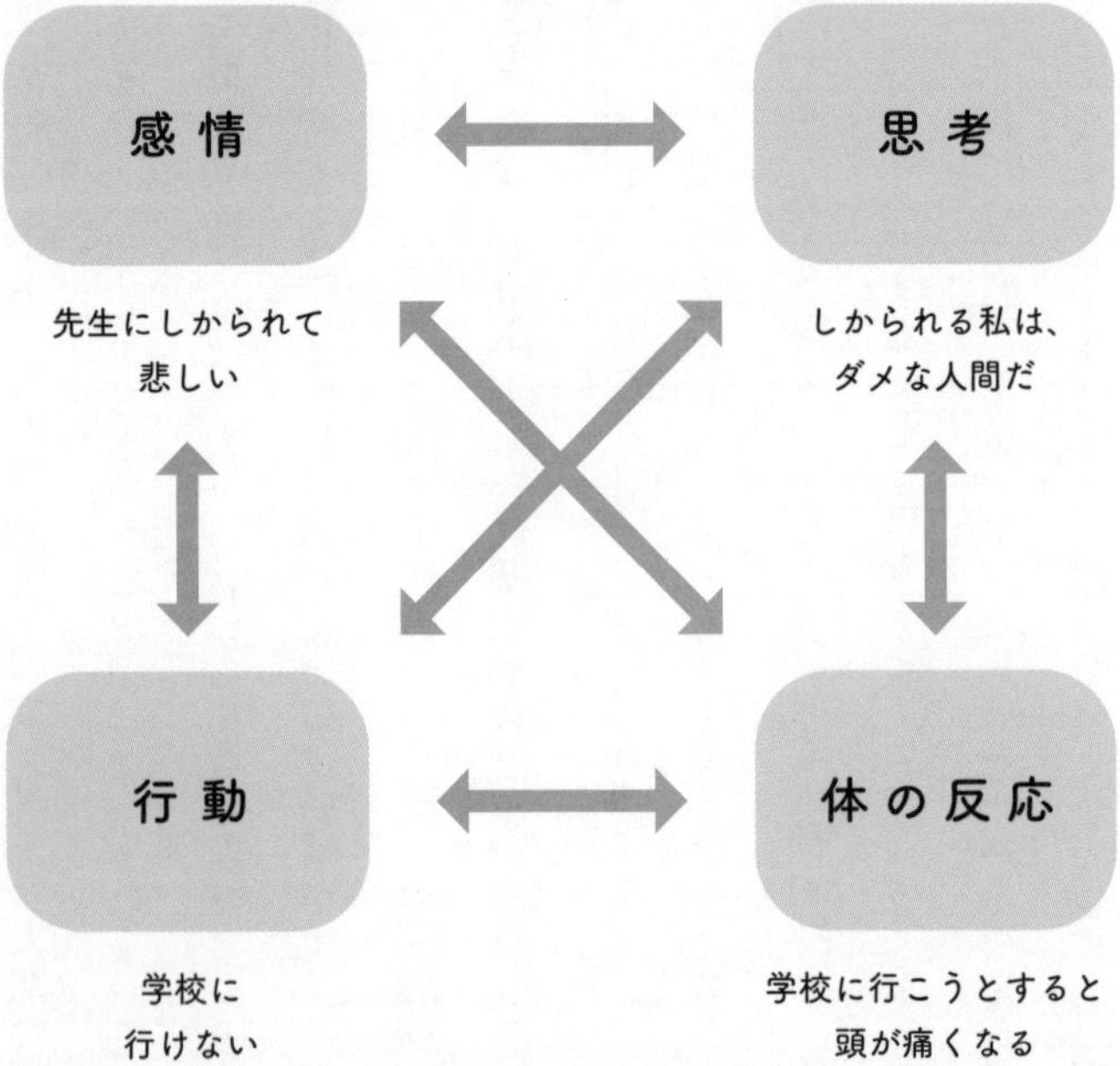
感情
思考
先生にしかられて悲しい
しかられる私は、ダメな人間だ
行動
体の反応
学校に行けない
学校に行こうとすると頭が痛くなる

感情、思考、行動、体はたがいに影響を及ぼし合って反応を生み出している。

Chapter 2 友だちの悩み

case 01

友だちの悩み

友だちから無視される

たとえば
こんなことが…

1	起こった（できごと）	いつも一緒にいる友だちから、突然無視されるようになった。
2	感じた（感情・感覚・思考）	私が何か悪いことをしたのかな？　無視するのをやめてほしい。
3	どうなった（変化したこと）	無視されていることを考えただけで涙が出てきてしまう。

「無視される」ことは私たちの心を傷つける

話しかけても反応してもらえなかったり、まるで自分がそこにいないかのような態度をとられたりするのは、だれにとってもつらいことです。まわりの人から無視されると、自分の存在を認めてもらえていないような気持ちになってしまいます。

私なんて、いてもいなくても同じなんだ。だれも私のことなんて気にかけていないんだ。こんな風に感じることは、私たちの心を深く傷つけます。そしていやな気持ちや苦しい思いをくり返し感じると、「自分自身を大切にしたい」という気持ちまで弱くなっていってしまうんです。

同時に、学校生活にだって影響を及ぼします。身近な人に無視され、ひとりぼっちにされてしまうと、「口コミ」情報が手に入りにくくなります。「3時間目の授業、視聴覚室に変更だって」といった大切なことを教えてもらえず、そのせいで授業に遅刻する、なんてことも起こってくるかもしれない。こんなことが続くと、学校生活すべてがつらくなってきてしまいますよね。

つらいことの「理由さがし」をしてはダメ

悩みごとがあると、そのことばかり考えてしまいます。だから人間関係で苦しいことがあると、「私によくないところがあるのかな?」なんて考えが頭の中でグルグル……ということもあるかもしれません。

でも、そんな考えは、今すぐストップ! **いやなことの「理由探し」は、つらいときに決してしてはいけないこと**なんです。なぜなら理由探しは、「今起こっていること」を認めたうえで始まるものだからです。

たとえば遅刻の理由を探したくなるのは、どんなときでしょう？　まずは遅刻してしまったとき。今向かっているけれど遅刻しそうなとき、も含まれるかもしれません。

遅刻を認めているからこそ、だらしない人だと思われたくない、などという気持ちが生じ、「電車が遅れたから」「急におなかが痛くなっちゃって」なんて理由がほしくなるんです。でも遅刻していないときにまで、遅刻の理由を探す人は……いないですよね？

「遅刻」と「無視される」をおきかえても、同じことがいえます。無視される理由を探したくなるのは、「自分は無視されるような人間だ」と感じ、自分でそれを仕方がないこと、と認めてしまっているときに多いように思うのです。

苦しいことに、理由探しをすればするほど、「自分は無視されても仕方がない」

なんて思いが強くなってしまうこともあります。

でも、ここで思い出してください。

悩みごとを整理するときに重要なのは、「無視された」というできごとのために、あなたが「涙が出てくる」ほどつらい、ということだったはず。相手がどうしてそんなことをするのか？　なんて想像をする必要はありません。

「無視する側」と「無視される側」をくらべたら、問答無用で無視する側がアウト。他人の心を傷つけるのは、絶対に許されない行為です。たとえクラス全員があなたを無視したとしても、悪いのはあなたではありません。人の心に関することは、多数決で正しさが決まるものではないんです。

「無視しない人」とつながる機会を増やしてみよう

「自分は悪くない」とわかっても、無視されるのはやっぱりつらいかもしれません。そんなときには、**「自分を無視しない人」に目を向けてみましょう。**

そんな相手はどう探す？　たとえば、通話アプリの友だちリストをチェックしてみてはどうでしょう。小学校の卒業アルバムを開いてみる、なんて方法もありそうです。最近は会っていない友だちを思い出していくと、なんだかなつかしいな、久しぶりに話したいな、と思う人がいるかもしれません。

そんな人を発見したら、ちょっと連絡してみましょう。おしゃべりしたり、SNSなどでメッセージを送り合ったり……。あなたが「つながりたい」と思った相手とつながる機会を、できるだけ増やしてみてください。

自分をきちんと認めてくれる相手とかかわることは、あなたに大切なことを思い出させてくれるでしょう。それは……「自分は、無視されてよい存在ではない」ということです。

case 02

友だちの悩み

友だちがいなくてさびしい

たとえば
こんなことが…

1	起こった（できごと）	学校で一緒に過ごす友だちがいない。休み時間もいつもひとりでいる。
2	感じた（感情・感覚・思考）	さびしい。
3	どうなった（変化したこと）	休み時間に教室にいるのがいやで、トイレで時間をつぶしている。

さびしい気持ちは悪いものじゃない

「さびしい」という感情は、それほど悪いものではありません。

さびしさを感じると、「なんとかして、ひとりぼっちの状況から抜け出したい！」などと思うかもしれません。でも私は、むしろさびしさをじっくり味わってみることをおすすめします。

ああ、さびしいな～、なんてつぶやきながら、ごはんを食べてみてください。さびしさをかみしめながら、授業を受けてみてください。

そんなときのあなたは、さびしさを感じながらもその気持ちに飲み込まれず、目の前のことに着実に取り組んでいることになります。こんなことができるあなたは、人間的に成熟した、といえるでしょう。

多数派の魔力と少数派の魅力

私たちはなぜ、ひとりで過ごす状況をさびしいと感じるのでしょう？

それは、学校では多くの人が、仲よしグループをつくっているからではないでしょうか。どこかのグループに属している人が「多数派」で、ひとりで過ごす人は「少数派」。そして多数派でいることには、強い「魔力」があるんです。

多数派になると、なんだか自分が力をもっているように感じます。自分たちの意見がいつも正しいように思えてきます。こわいものがなくなったような気がしてきます。これって、自分を少しよい気分にさせてくれますよね。

こうした多数派の魔力から抜け出せなくなっている人も、たぶん少なくないはずです。ただし、多数派のよさの多くは「魔力」によって生み出されたもの。自分の本物の力ではないんです。

当然ですが、多数派にはよくない点もあります。多数派の中でうまくやっていくためには、いつもまわりに合わせなければなりません。自分の意見を言えなかったり、気持ちを抑えたりする場面も増えるでしょう。こんなことをしてみたい！　というアイデアがひらめいても、友だちの意見を聞いたり都合を合わせたりする必要が出てきます。多数派に属しているとよいこともあるけれど、それなりの苦労もあるわけです。

ひとりになるのが不安だから、「魔力」を手放したくないから、と本当はいやなこともがまんして多数派にしがみついている……なんて人もいるかもしれません。多数派は、いかにも充実して楽しそうに見えるものです。でも多数派の全員が、心から楽しく過ごしているとは限らないような気がします。

ひとりで過ごす「少数派」には、多数派のような魔力はありません。でも、多数派にはない「魅力」があることはたしかです。

ひとりで過ごすことは、とても自由です。さらに、まわりを気にして自分を抑える必要がないので、いつでも自分らしくいることができます。

ひとりで過ごすことは、たしかにさびしい。でも、少数派でいることにはよい面だってあるんです。

さびしさは薄れさせようとしなくていい

さびしさの感情そのものは、私たちの心に悪い影響を及ぼしません。でも、さびしさにくっついてくることがある「思考」には要注意です。

感情が「起こったことから感じるもの」なのに対し、思考は「頭で考えたこと」。問題なのは、ネガティブな感情はネガティブな思考とセットになりやすいことです。

さびしさを味わうときに注意したいのは、さびしさを薄れさせようとしないことです。今の状況をなんとかしたいと思うと、思考が「さびしさの理由探し」を始めてしまいがちだからです。

「ああ、さびしいな～」と感じるだけならOK。でも、「さびしいのは、私がひとりぼっちにされても仕方がない人間だからだ」なんて気持ちが出てきたときは、思考が動き出した証拠です。

そして、いったんネガティブな思考に意識を向けてしまうと、感情までどんよりしてきて、そのせいでさらにいやな思考が……という悪循環に陥ってしまうこともあるんです。

さびしさを感じるなら、「私はさびしい」でいいんです。感情に理由はいりません。理由探しはやめて、ひとりでいることのよさに目を向けてみませんか？

case 03

友だちの悩み

友だちからバカにされている気がする

たとえば
こんなことが…

1 **起こった**（できごと）
友だちと一緒に勉強しているとき、「この問題はあなたには難しすぎる」と言われた。

2 **感じた**（感情・感覚・思考）
みんなにバカにされた。悲しい。

3 **どうなった**（変化したこと）
友だちが盛り上がっていても、自分から仲間入りしなくなった。

マウンティングには「邪悪なパワー」がある

「あなたより私のほうが上」「あなたは私より劣っている」と思わせるようなことを言う……。俗にいう「マウンティング」です。

私の経験から言うと、だれかをバカにしたり上から目線で見たりしがちな人は、相手を見下すことで自分の立場や価値が上であると思いたがっているような気がします。

そして集団の中でマウンティングをする場合、だれかを「格下」であるかのように扱うことで、その他のメンバーの結びつきが強まるように感じているのかもしれません。こうした勘違いはすべて、「邪悪なパワー」によるものです。

反対に、自分の能力やまわりの人との関係にあまり不安を感じていない人は、マウンティングなどしないことが多いように思います。つまり他人を見下す人は、実は自分の力や他人との関係に不安を感じているのではないでしょうか。

あなたが反応しなければ「邪悪なパワー」は発散されない

他人からわけもなく見下されるのは、気分のよいものではありません。こうしたマウンティングへの対応には、ちょっとしたコツがあります。それは、「反応しないこと」です。

私はツイッターで情報発信をしていますが、私の書き込みには、悪意のある見当はずれなツッコミや悪口……いわゆる「クソリプ」が付くことがめったにありません。それは、なぜでしょう？

私の発信する内容が「クソリプ」が付けられる余地がないほど完璧だからで

しょうか？　そうだったらうれしいのですが、理由は違うところにあると思っています。私が悪意のあるコメントにはいっさい反応しないからです。

私は、どんなにネガティブな書き込みがあっても直接反論しません。言いわけも相手に合わせることもせず、何を書いてこようとそのままにしています。

ネガティブな書き込みをしてくる人の中には、当然、私の反応を期待している人もいるでしょう。私が返信すればさらに反論したりあおったりし、最後は他のフォロワーも巻き込んで大炎上……なんてことをねらっているのかも。

でも私が反応しない限り、相手はそれ以上のことはできません。悪意のあるコメントも「私の意見とは異なる書き込み」にすぎず、炎上につながる力をもつ「クソリプ」にはならないんです。

友だちからのマウンティングも、これと同じです。

あなたを見下すようなことを言う友だちは、それによってあなたが悲しんだりくやしがったりすることを期待しています。そして、あなたが期待どおりの反応を見せた瞬間、マウンティングの「邪悪なパワー」が発散されるんです。

反対に言えば、あなたが反応しなければ、相手はあなたを見下したことになりません。つまり、マウンティングできないわけです。

マウンティングされるかどうかは、あなた次第。主導権はあなたが握っているんです。

主導権を握っているのは相手ではなくあなた

マウンティングしたつもりなのにあなたが反応しなければ、相手はがっかりするでしょう。そこでやめる人もいますが、中には「もうひと押ししてやれ」と思う人もいます。そんな人の場合、さらにあなたを傷つけるようなことをしたり言ったりしてくるかもしれません。

マウンティングが強まるのはつらいことですが、ここは「チャンス！」と思ってください。最初の攻撃に失敗したのに同じことをくり返すのは、相手があせっている証拠だからです。「邪悪なパワー」があなたにダメージを与えるはずなのに効果がなかったことにとまどい、「とりあえずもう1回！」とむやみに攻撃しているわけです。

相手があせっているということは、あなたの対応が正しかったということ。あなたを見下すような言動には反応せず、いやな言葉も聞き流してください。

マウンティングの「邪悪なパワー」に関する主導権を握っているのは相手ではなく、あなたです。相手がどんなに必死になろうと、あなたが反応しない限り、マウンティングは起こりません。「この人は邪悪なパワーの影響を受けないんだ」と気づけば、相手はあきらめるしかないんです。

case 04

友だちの悩み

友だちの前で明るい自分を演じてしまう

たとえば
こんなことが…

1 起こった（できごと）
学校ではいつも明るくふるまって、クラスの盛り上げ役になっている。

2 感じた（感情・感覚・思考）
明るい自分は、本当の自分じゃないように思える。ときどき、心がからっぽのような気がする。

3 どうなった（変化したこと）
体や気持ちが疲れて明るく元気にしていられないときは、学校に行くのがおっくうになった。

他人につらさを隠すことは
自分にも隠すことになる

俳優さんは自分ではないだれかになりきって演技をするし、芸人さんやタレントさんの中にも「いじられキャラ」「きついツッコミをするキャラ」などを演じている人がいます。でも俳優さんも芸人さんも、撮影が終われば「素の自分」に戻ってリラックスしているはずです。

本来、何かを「演じる」のは、仕事のときに必要な力です。演じるのは楽ではないことなのに、生活の中でまでキャラをつくってしまうのは、演じることに独特の力があるからかもしれません。

「明るいキャラ」を演じるあなたは、疲れていたり困っていたりすることがあっても、それを友だちに見せられません。これはつらいことですが、同時にメリットもあります。いやなことを他人の目から隠すことには、自分に対しても隠す効果があるんです。「明るい自分」を演じることで、あなた自身もつらいことや苦しいことから目をそらすことができるわけです。

でも、演じる力による効果は一時的なもの。見ないようにすることは、本当の解決にはなりません。そのためつらさや苦しさが大きくなってくるとどこかでバランスがくずれ、体や心の不調につながってしまうことがあるんです。

自分の中にある いろいろな「キャラ」に目を向ける

あなたがもし幼稚園の先生だったら、前の日に家族とけんかして機嫌が悪かったとしても、子どもの前では笑顔でいることを心がけなくてはなりません。でもこうした演技が必要なのは、あくまで仕事のため。「幼稚園の先生」

という社会的な役割を果たしてお給料をもらうためです。

学校生活は、仕事ではありません。お給料だってもらっていないんですから、社会的に求められる役割もありません。あなたはいつも「自分」でいていい。機嫌がよい日もあれば、疲れている日もあるのがあたりまえ。「いつも元気にしていなくちゃ!」なんて、がんばってキャラを演じる必要はないんです。

でも「演じる力」になれてしまっていると、素の自分を見せることに少し抵抗があるかもしれません。また、あなたが突然「キャラ変」したら驚く友だちもいそうですよね。

だからまずは、素の自分を見せる準備と練習から始めるとよいと思います。

第一段階は、準備です。元気な自分、イライラしている自分、わけもなくゆううつな自分……。実はひとりの人間の中には、たくさんのキャラがあります。そして、心身の状態や場面などに合わせて、いろいろな面が顔を出してきます。

まずは、自分の中の「友だちに見せてこなかった面」を見直し、それぞれに名前をつけてみましょう。「疲れてるモード」「イライラキャラ」、どんな名前でもかまいません。ひとつひとつ名前をつけていくうちに、いろいろな自分がいることにあらためて気づくことができるでしょう。

準備がすんだら、第二段階として練習を始めます。元気にしていたい気分でないときは、明るいキャラを演じるのをやめてみます。そして、ちょっとふざけた感じで、「なんか今日、疲れてるモードなんだよね」「ちょっとイライラキャラが暴れてる」などと友だちに伝えてみてはどうでしょうか。

人に見せてこなかったキャラを認めてやさしくしてあげる

「いつも明るい人」と思われているあなたがいきなり黙り込んだら、友だちもとまどうでしょう。でも先回りして「疲れてるモードだから」と言っておけば、「ああ、疲れてるからあまり話したくないんだな」とあなたの事情を理解し、自然に受け入れてくれると思います。

こうした練習を重ねていけば、「演じる力」から逃れて、学校でも「素の自分」を見せることができるようになっていくでしょう。

あなたがこれまで明るく元気な自分しか見せてこなかったのは、それ以外のキャラを「あまりよくないもの」と感じてしまったからかもしれません。でも、「疲れ」も「不機嫌」も「イライラ」も「落ち込み」も、すべてあなたの大切な一部です。「よい」「悪い」などと分類する必要はないし、そもそも分類することなどできません。

まずは、自分の中のいろいろなキャラを認めてあげましょう。そして学校では見せてこなかったキャラたちにも、少しずつ出番を与えてみませんか？

case 05

友だちの悩み

まわりに合わせてしまって自分の意見を言えない

たとえば
こんなことが…

1	起こった（できごと）	一緒に映画を観るとき、自分が何を観たいか言えず、友だちが観たがっているものにしぶしぶ合わせた。
2	感じた（感情・感覚・思考）	合わせておけば、友だちとぶつからずにすむ。観たくない映画を観ても、ちっとも楽しくない。いつも私ばかりがまんしている。
3	どうなった（変化したこと）	友だちと遊ぶのが、面倒になってきた。

人に合わせてしまうのは衝突を避けたいから

自分の意見や気持ちを隠して他人に合わせることには、「かりそめの解決力」があります。他人とぶつかりそうになったときに、「手っ取り早く他人との衝突を避ける」ことができるのです。

「かりそめの解決力」には、確実な効果があります。友だちに合わせておけばけんかになることは絶対にないし、「自己主張が強い」「わがまま」などと言われていやな思いをすることもありません。そのため、この力は手放すのがちょっとたいへんなこともあります。

「かりそめの解決力」を使い続けていると、人との衝突を避けることを最優先し、自分の気持ちを置き去りにすることが多くなってしまうのです。友だちの観たい映画に合わせておけば、けんかになる可能性は0パーセントです。でもあなたは楽しくないし、自分ばかりがまんさせられているようなモヤモヤも残ってしまった。友だちと楽しむために出かけたのに、これでは残念ですよね。

友だちとけんかしたくない、というのはだれもが思うことです。この気持ちが強すぎると、「けんかをしない」ことが人間関係の目的のようになってしまうことがあります。でも、**衝突を避けることを最優先した友だちづき合いの先にあるものって……?** もしかしたら、自分にとって楽しいとはいえない、からっぽな関係なのかもしれません。

衝突を避けながら意見を伝えるテクニック

自分の意見を言いたいけれど友だちとぶつかるのも避けたい、というときは、「かりそめの解決力」ではなく、簡単なテクニックを使うのがおすすめです。たとえば何かを選ぶとき、友だちはA、あなたはBがいいと思っているとします。友だちが「私はAがいいな」と言ってきたら、まずは「ちょっと待ってね。えーっと……」と、もったいぶってみせます。それから、こんな風に言ってみてはどうでしょう。

「うん、Aもいいよね。でも私、Bと迷っちゃうな」

ポイントは、最初に相手の意見を認めることと、その後で自分の意見を伝えることです。いきなり「私はBがいい！」と言うと、友だちは自分の意見を否定されたように感じてしまうかもしれません。でもこのテクニックを使えば、あなたが友だちを気づかっていることや、友だちの意見を参考にしたうえで自分の意見を述べていることが伝わります。そして、友だちもあなたを気づかい、あなたの意見もちゃんと認めよう、と思うのではないでしょうか。

case 06

友だちの悩み

いつも一緒にいたがる友だちが重い

たとえば
こんなことが…

1	起こった（できごと）	友だちが、学校でいつも一緒にいようとする。週末の予定も聞いてくる。
2	感じた（感情・感覚・思考）	自分のしたいことが自由にできない。さすがに重い。たまには誘いを断りたいけれど、断るのがこわい。
3	どうなった（変化したこと）	ひとりでのんびり過ごせる時間が減った。その友だちと学校で顔を合わせるのがゆううつ。

友だちと離れる時間も ほしいのは普通のこと

仲のよい友だちがいるのはおたがいにとってよいことです。でも、いつも特定の友だちと一緒に過ごしたいと思う人もいれば、いろいろな友だちとつき合いたい人、ひとりで過ごすのが好きな人もいます。

他人との「ほどよい距離感」は、人によって違うものです。ひとりで過ごす時間もほしいあなたにとって、いつも一緒にいたがる友だちとつき合うのは、ちょっと疲れることかもしれませんね。

どんなに気の合う相手であっても、ずっと一緒にいると息苦しさを感じることがあります。学校で長い時間を一緒に過ごし、さらに週末まで遊びに誘われるような場合、たまには離れていたいと思うのは、ごく普通のことです。これは相手のことがきらいになったわけではなく、単に離れている時間も必要としている、ということなんです。

友達の誘いを断るのは、なかなか難しいものです。その理由は、「私以外に仲のよい子がいないから一緒にいたいのかな」「ひとりで外出するのが好きじゃないから、私に一緒に行ってほしいのかな」などと相手の事情をあれこれ想像してしまうからではないかと思います。

でも、ちょっと考えてみてください。どんなに仲がよくても、他人の気持ちを完全に理解することはできません。あなたが想像した友だちの気持ちは、当たっているとは限りません。あなたがどんなにがんばっても、友だちの本当の気持ちや行動の理由はわからないんです。

だから「私が断ったらがっかりするかもしれない」「ひとりにするのはかわいそう」などと、相手の事情に合わせたつもりであれこれ考えるのは、やめておいてもいいんじゃないかな、と思います。

「ひとりでいたいサイン」が出たらひとりの時間をつくる

友だちの事情を考える前に、あなた自身の気持ちに目を向けてみてください。そして週末は遊びたくないな、と思うなら、その気持ちに従ってみませんか。あなたに断られてどう思うかは、友だち自身の問題です。あなたがあれこれ思い悩むことではないんじゃないかな、と思います。

断るかどうか迷うときは、自分に「ひとりでいたいサイン」が出ているかどうかをチェックしてみるとよいでしょう。チェックのしかたは簡単です。

たとえば友だちから「週末、買いものに行かない?」と誘われたとき、出かけるのを面倒に感じたり、誘ってきた友だちを重く感じたりするのが、「ひとりでいたいサイン」。これが出ているなら、あなたが、ひとりで自由に過ごす時間を必要としている証拠です。

「ひとりでいたいサイン」に気づいたときは、ついでに「ひとりでしたいことリスト」もつくってみましょう。「最近できていないけれど、本当はしたいこと」はありませんか？　ゆっくり本を読む、家でぼんやりする、ひとりで買いものに行く……。思いつくものを、ノートに書き出してみてください。

このとき出てきたものがすべて、あなたがひとりでしたいと思っていることと。自分だけの時間をつくって、できることからやってみましょう。

「自分ひとりですること」でスケジュールを埋めてよい

私たちは、だれかと一緒に行動する予定がないと、その日のスケジュールは

「空いている」と思ってしまいがちです。でも本来は、自分ひとりですることを予定に組み入れておいてもいいんです。

友だちから誘われたときに「ひとりでいたいサイン」が出たら、「ひとりでしたいことリスト」を見てみましょう。その中に、誘われた日にしたいことはありませんか？ もしあれば、その日のあなたのスケジュールはすでに埋まっているということです。

誘われた日に別の予定が入っていたら、そのことを正直に伝えますよね？ この場合も、それと同じです。「ごめんね、その日は家で本を読もうと思ってるんだ」などと言えばOKです。

私に断られて友だちがっかりするんじゃないか、などという心配はしなくていいと思います。あなたは、友だちの誘いを断ったわけではなく、誘われる前から決まっていた予定を伝えただけなんですから。

case 07

友だちの悩み

友だちに「重い」と思われていないか心配

たとえば こんなことが…

1	起こった（できごと）	ひとりの友だちといつも一緒にいようとしてしまう。友だちの週末の予定を確認してしまう。
2	感じた（感情・感覚・思考）	少しでも離れたら、友だちでいてくれなくなるような気がする。「重い」と思われていないか心配。
3	どうなった（変化したこと）	友だちの顔色ばかりうかがうようになった。友だちにそっけなくされると苦しい。

「きらわれるんじゃないか」という不安はさびしさとは違う

学校に仲のよい友だちがいることは、あなたの生活を楽しくしてくれます。でも、いつも一緒にいたいと思ったり、離れていることを不安に感じたりするようになっているのなら、少し注意が必要かもしれません。あなたの気持ちが「一緒にいるのが楽しい」から、「きらわれるのが不安」にかわりはじめているかもしれないからです。

友だちにきらわれるかもしれない、見捨てられるかもしれない、という不安は、単なるさびしさとは違います。「ひとりでいるのがさびしい」はシンプルな感情なので、「ああ、さびしいな」と感じていればいい。「さびしいと思うのをやめよう」などとがんばる必要はありません。

でも「きらわれるかも」「見捨てられるかも」という思考は、さびしさをこじらせてしまうことがあります。「友だちと一緒にいなくてさびしい」という事実と感情に、「きらわれているからだ」などの「判断」を加えてしまっているんです。

ネガティブな思考があなたの行動までかえる

さびしさを感じるのは悪いことではありませんが、さびしさには「きらわれ不安」「見捨てられ不安」などネガティブな思考がくっついてしまうことがあります。こうした思考が、あなたを苦しめるものの正体です。

「きらわれ不安」「見捨てられ不安」を抱えていると、友だちのちょっとした言動にビクビクするようになってしまいます。ちょっとそっけなくされただけで「自分に腹を立てているんじゃないか」と心配になり、自分がきらわれていないことをこまめに確認しないと気がすまない……なんて状態になってくるかもしれません。ネガティブな思考が生まれたせいで、あなたの行動までかわってきてしまうわけです。

こうしたかかわり方をずっと続けたら？　友だちはたぶん疲れてきて、あなたと距離をおきたいと思うことも出てくるでしょう。そうなると、今は仲よくできているふたりの関係も、ぎくしゃくしてきてしまうかもしれません。

「大人の自分」から「小さな自分」にアドバイスしてみる

「きらわれ不安」や「見捨てられ不安」は、あなたが頭の中でつくり出したものので、事実ではありません。ですから、こうした不安に気づいたときは、自分で自分をなだめることが効果的な場合もあります。

私たちの中には、ふたりの自分がいます。ひとりは、「きらわれるんじゃないか」などと不安がっている「小さな自分」。もうひとりは、ものごとを全体的に見て、冷静に判断することができる「大人の自分」です。

これまでの自分をふり返ってみてください。同じような不安を感じ、それを乗り越えた経験はありませんか？

もしそんな経験があるなら、そのとき自分で自分になんと言ったか、思い出してみてください。その言葉が、「大人の自分」から「小さな自分」へのアドバイス。今抱えている不安をやわらげるのにも役立つでしょう。

こうした経験が思い出せないときは、設定をかえてみます。仲よしの友だちが「親友にきらわれているかもしれない」と悩んでいたら、あなたはどんな言葉をかけますか？　そのときに浮んでくるひと言が、「大人の自分」から、「小さな自分」へ向けたメッセージです。

不安をやわらげたいときに

「大人の自分」から「小さな自分」へのアドバイスを書き込んでみよう。

きらわれるん
じゃないか
見捨てられる
んじゃないか
大人の自分
小さな自分
例
ひとりでいる時間
も、いいものだよ！
例
あなたは、何も悪いこと
をしていないよね？

case 08

友だちの悩み

SNSの投稿に反応がないことが気になってたまらない

たとえば
こんなことが…

1 起こった（できごと）
SNSの自分の投稿に、反応がない。

2 感じた（感情・感覚・思考）
どうして反応がないんだろう、と不安。いつ、どんな反応があるだろうと思うと落ち着かない。

3 どうなった（変化したこと）
スマホを常にチェックしてしまう。

スマホチェックをやめられないのは不安を打ち消したいから

リアルタイムで手軽にやりとりできるSNSは、とても便利なツールです。今では、人とのつながりをつくり、キープしていくためにも欠かせないものになっていますよね。

自分が上げた写真やコメントなどに反応があるのは、だれにとってもうれしいものです。でも、すぐに反応があることになれてしまうと、反応がなかったり遅かったりすることに対してさびしさや物足りなさを感じるようになってくるかもしれません。

そんなとき、「だれも反応してくれないなんて、さびしいな」「反応ゼロなんて、つまんないな」と感じるだけなら、とくに問題はありません。こうしたシンプルな感情が、あなたを傷つけることはないからです。

気をつけたいのは、感情にはいやな「思考」がくっついている場合がある、ということです。たとえば、「だれも反応しないのは、私の発言が気に入らなかったからだ」「私はきらわれているから、みんなが私の書き込みを無視するんだ」など。友だちからの反応がない「理由探し」を始めると、思考がどんどんネガティブなほうへ走り出してしまいがちなんです。

でも同時に、「まさか、きらわれてなんかいないよね？」という気持ちだって残っています。だから、自分を安心させてくれるような反応があることを期待して、何度もスマホをチェックする……という行動をとってしまうんです。

「確認のループ」にはまると不安がどんどん大きくなる

こうした場合、あなたの不安が解消される条件を考えてみましょう。まず、友だちからの反応があること。さらにその反応が、「私の発言が気に入らなかったんじゃないか」などの不安を打ち消してくれるようなものであることも必要です。つまり、「友だちからのそれなりによい反応」が戻ってくるまで、あなたは安心することができないんです。

でも、友だちが反応するタイミングをコントロールすることはできませんよね？　あなたがスマホをこまめにチェックしたからといって、他人からの反応が早く来るわけではありません。

せっかちにスマホをチェックするのは、「反応がない」という事実を何度も確認するのと同じこと。**反応がなければ、「やっぱり私はきらわれているんだ！」などという思考が働き、不安はますます大きくなるでしょう。**そしてその不安に耐えきれず、またすぐにスマホを見ずにいられない……という「確認のループ」にはまってしまうんです。

スマホを確認しなければ「反応なし」という事実を知らずにすむ

「確認のループ」から抜け出すためには、確認をやめてみるしかありません。不安を感じてもぐっとこらえて、スマホを見るのをがまんしてみてください。

やたらと確認しないということは、「反応がない」という事実を知らずにすむということ。反応がないことに気づかなければ、「私の発言が気に入らなかったのかな」などと考えて不安をさらに大きくすることもありません。

人間関係に、不安はつきものです。不安は小さなうちなら、そのまま抱えておけば時間とともに小さくなっていきます。「確認のループ」にはまる前に、スマホに伸びそうになる手を、ちょっと押さえてみてください。

確認のループに注意！

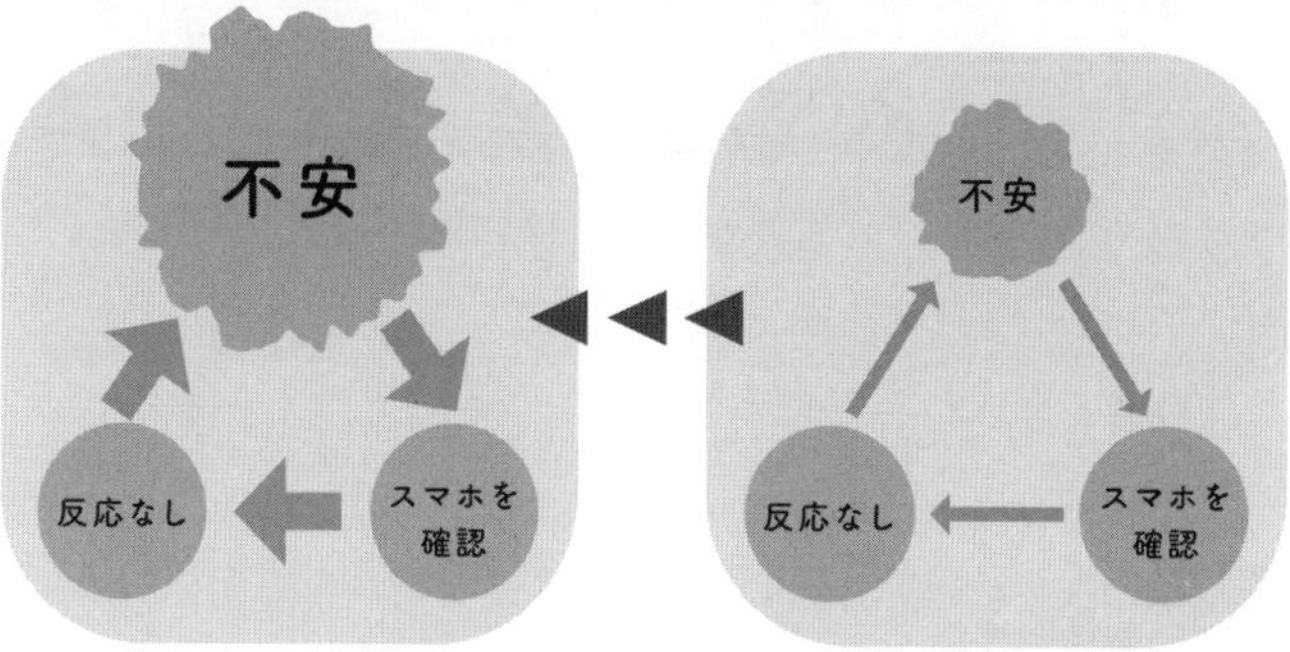

ループを回る回数が増えるほど、不安が大きくなっていく。

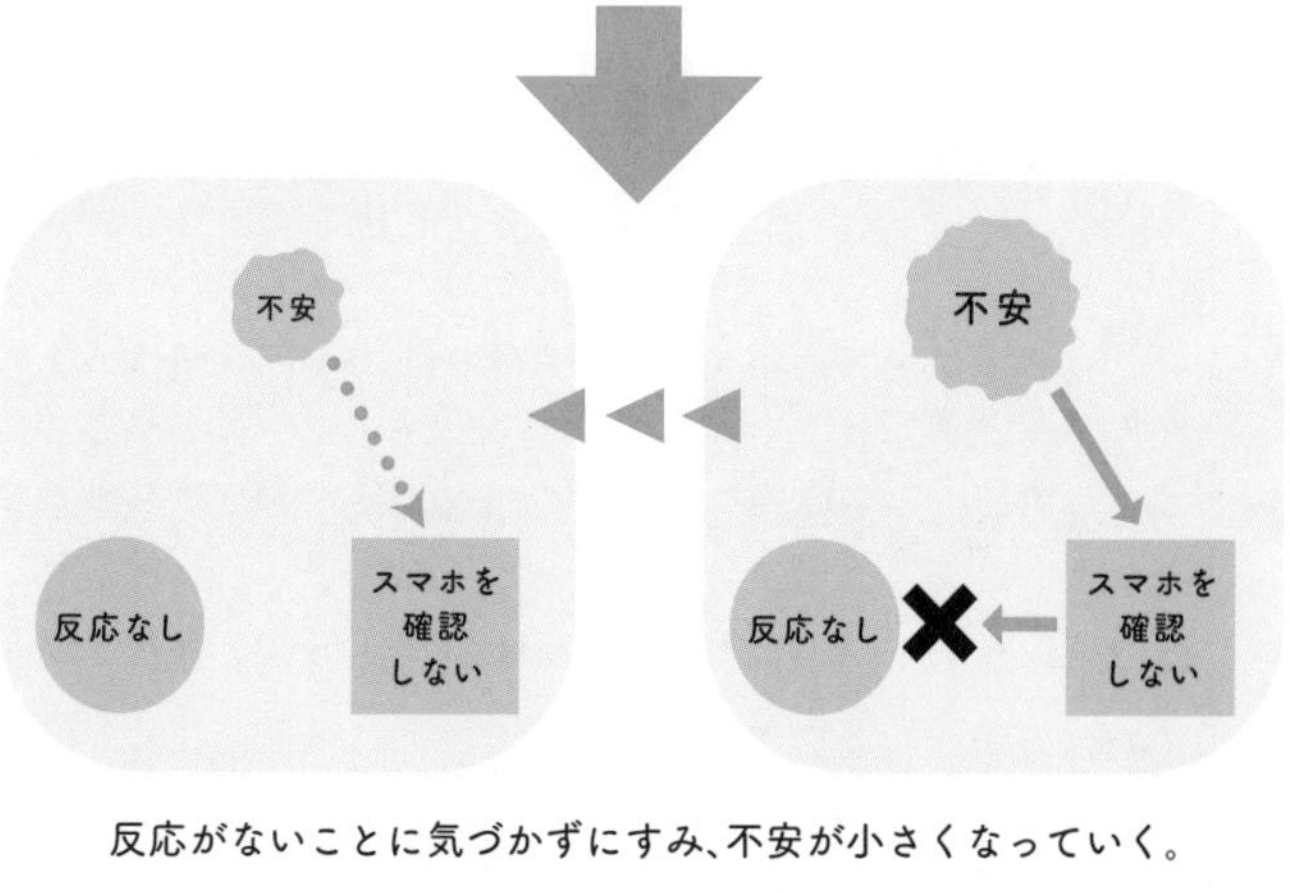

反応がないことに気づかずにすみ、不安が小さくなっていく。

case 09

友だちの悩み

友だちから暴力をふるわれる

たとえば
こんなことが…

1	起こった（できごと）	何もしていないのに、同じクラスの子からたたかれたり、肩を押されたりする。
2	感じた（感情・感覚・思考）	痛い。こわい。自分の何がいけないんだろう。
3	どうなった（変化したこと）	その子と顔を合わせるのがいやで、学校を休みがちになった。

体や心につらい痛みを与えるものはすべて暴力

「暴力」というと、なぐったりけったりする激しい行動をイメージするかもしれません。実際には、目に見えるような外傷を残すわけではなくても、**「避けたくなるようなつらい痛み」を感じさせる行動はすべて暴力としてとらえるべき**です。そしてこの「痛み」には、心の痛みも含まれます。

たとえば、柔道選手が試合で相手を投げ飛ばしたり倒したりすることは、暴力ではありません。体の痛みが強くても、おたがいに技をかけ合うことを了解しているのだから「避けたくなるようなつらさ」は感じませんよね。

反対に、軽くたたかれたことが暴力に当たることもあります。体の痛みはそれほど感じなくても、たたかれたことにショックを受けたり、またやられるんじゃないか、とこわくなったりすることがあるかもしれない。こうした気持ちは、「避けたくなるようなつらさ」を伴う心の痛みだからです。

さらに、体にはまったく触れない種類の暴力もあります。相手の心を傷つけるようなことをしたり言ったりすることも、暴力の一種なんです。

相談したい自分と相談したくない自分の気持ちを知る

だれかのしたことが暴力に当たるかどうかは、「された側が痛みを感じたかどうか」によって決まります。**やった側の意図は、まったく関係ありません。**加害者は「そんなつもりでやったのではない（のだからこれは暴力ではない）」などと自分の行動を弁護しようとしがちですが、これはナンセンスです。された側のあなたが「避けたくなるようなつらい痛み」を感じたのであれば、その行動は間違いなく暴力といってよいでしょう。

どんな種類のものであっても、友だちから暴力を受けたときは、大人の「安全な相談者」に相談するのが理想的です。暴力の問題を子ども同士で解決するのはかなり困難だと言わざるを得ません。もし身近に相談できる大人が見当たらない場合は、専用の相談窓口などを利用して専門家に相談することがとても重要な選択肢だと考えています（190ページ）。

大人に相談することに、抵抗を感じることもあるでしょう。今すぐに相談しよう！　という気持ちになれないときは、**あなたの中に「相談したい自分」と「相談したくない自分」がいるんです。**迷ったときは、両方の言い分をきちんと聞いてみることが大切です。後のページを参考に、「相談したい自分」と「相談したくない自分」の気持ちを書き出してみましょう。

書き終えたら、どちらの自分の気持ちが強いかを考えてみてください。「相談したい自分」のほうが強い場合は、すぐに相談を。反対に「相談したくない自分」のほうが強い場合は、今はまだ相談する時期ではないのでしょう。

今は相談しない、という結論が出たとしても、「相談したい自分」の存在に気づいたことで、いずれ「相談したい」と思うときがくるかもしれません。相談のタイミングは、あなた自身が決めていいんです。

暴力がくり返されたら そのたびに相談を

残念ながら、大人に相談した後も暴力がくり返されることがあります。その場合は、暴力を受けたらすぐに、同じ相談者にもう一度相談してください。「相談したけどムダだった」などとあきらめてしまわず、暴力がおさまるまで、何度でもくり返し相談を続けることが大切です。

相談するかどうか迷ったら……

それぞれの気持ちを書き出し、どちらの自分の思いが強いか、考えてみましょう。

相談したい自分

例
・安心して学校に行きたい
・もう暴力をふるわれたくない
など

相談したくない自分

例
・はずかしい
・しかえしされたくない
など

case 10

友だちの悩み

SNSのグループ内で悪口を言われた

たとえば こんなことが…

1	起こった（できごと）	学校の友だちとのSNSのグループで悪口を言われたり、うつりの悪い写真を共有されたりした。
2	感じた（感情・感覚・思考）	私はグループ内できらわれているんだ。悲しい。こわい。
3	どうなった（変化したこと）	SNSのグループの友だちと顔を合わせるのがいやで、学校に行きたくなくなった。

気になるやり取りはスクショに残し信頼できる大人に相談を

SNSでのつながりは、とても閉鎖的なもの。グループ外の人には見えないので、通常のいじめより気づかれにくいことが問題です。またグループ内でのやり取りは、そもそも大人に見せることを想定していません。会話の内容には大人には知られたくないようなものが含まれていることも多いため、いじめられた側が大人に相談しにくいと感じることもあるでしょう。

でもいじめは、子ども同士で解決するのが難しい問題。早めに、大人の「安全な相談者」に相談するのがベストです。身近に相談できる相手が見当たらない場合は、専門家が対応する相談窓口などを利用しましょう（190ページ）。

SNSのグループでのやり取りの中で「いやだな」と思うコメントがあった

ら、スクリーンショットを撮っておき、相談する際に見せるとよいでしょう。

不快なコメントを残しておくのはいやかもしれませんが、こうしたデータは、相談する相手に「いつ、どんなことが起こったのか」という事実を伝える材料として役立ちます。

いじめられたグループからはSNSでもリアルでも距離をおく

いじめられるのはつらいけれど、大人にも相談しにくい、と思う人もいるでしょう。でも多くの場合、いじめられる側ががまんを続けることはよい結果につながりにくいんです。いじめる側は、いじめられる側のがまんを「いじめてもOK」というメッセージとして受け止め、言動をエスカレートさせていくことも少なくないからです。あなたが「学校に行けない」と思うほど追いつめられているのなら、できるだけ早く信頼できる大人に相談してください。

いじめられていると感じたときは、SNSにアクセスするのをやめ、リアルでもグループからは距離をおきましょう。

いじめが起こるようなグループには「攻撃的な幻想」が生じやすいのです。いじめる側は、いじめを行うことで自分たちに力があり仲間との結びつきも強まるように感じてしまうんです。

こうした「攻撃的な幻想」が働きはじめると、いじめが始まる前の人間関係に戻るのは難しくなります。ひとりぼっちになってしまうような不安を感じるかもしれませんが、グループからはいったん離れたほうがよいと思います。

1対1のかかわりから「敵ではない人」を探していく

グループ内でいじめが始まると、「いじめる側」から抜け出すことも難しくなります。中にはリーダー的存在の人にいやいや従っていたり、本当はいじめなんてしたくなかったりする人もいるかもしれません。だから、いじめにかかわった全員があなたの「敵」とは限らないんです。グループのメンバーの中にこれからも仲よくできそうな人がいる場合は、その人と1対1で、リアルでかかわってみましょう。最初は、さりげない会話をする程度でよいと思います。

そのとき、相手があなたに対していやなことを言ったり、したりしなかったかをチェックしてみてください。この際に大切なのは、相手の「実際の言動」から判断すること。「いやなことは言わなかったけれど、本当は私のことをきらっているかも」など、あなたの考えたことを含めないように注意します。

あなたに対していやな言動があった人とは、これからも距離をおいたほうがよいでしょう。反対に、いやな言動がなかった人は、「敵ではない人」。これからも個人的なかかわりを続けていってみましょう。

Chapter 3

恋愛の悩み

case 11

恋愛の悩み

彼・彼女からきらわれている気がする

たとえば
こんなことが…

1	起こった（できごと）	最近、彼・彼女から、メッセージの返信がなかなか来ない。
2	感じた（感情・感覚・思考）	自分は彼・彼女のことを一方的に好きなだけ？ 彼・彼女は自分のことを好きじゃなくなったのかもしれない。
3	どうなった（変化したこと）	自分のことが好きかどうか、彼・彼女にくり返し確認するようになった。

恋愛はだれにもコントロールできないもの

少し理屈《りくつ》っぽい言い方になりますが、だれかと恋愛関係になるためには、次の条件を満たす必要があります。

① Aさんが Bさんを好きになる。
② Bさんが Aさんを好きになる。
③ ①、②が同時に起こる。

こうして見てみると、恋愛には「偶然」が深くかかわっているんだな、と思いませんか？　だって、ある人がいつだれを好きになるかなんて、だれにも予想することができません。また「今すぐに私のことを好きになってほしい」などと思ったからといって、そのとおりになるとは限りませんよね？

つまり恋愛とは、「コントロール不能」なものなんです。

彼・彼女の気持ちをあなたが操作することはできません。反対に、あなたの気持ちを彼・彼女が操作することもできません。

この状態は、恋愛の始まりから終わりまでずーっと続きます。このように、恋愛関係はそもそも不安定なものです。おたがいの気持ちが、いつどのようにかわるかなんて、わからないんですから。

だから恋人がいる人はみな、相手の気持ちがわからないことに対する不安を抱えていると思います。「彼は私のことを好きじゃないのかも」というあなたのモヤモヤ感は、恋愛をしている人にとって珍しいものではありません。

人には「好きになれる面」と「好きになれない面」がある

「彼・彼女のすべてが好き！」と感じるのは、恋愛初期だけじゃないかな？と思います。相手のことをよく知るようになると、これまで知らなかった面も見えてくるからです。

人にはいろいろな面があります。どんなに素敵な人でも、すばらしい面だけもっている、なんてことはありません。また、どんな面が「よい面」と受け止められるかは、相手によってもかわってくるんです。

彼・彼女のことを考えてみてください。もちろん、よい面がたくさんあるでしょう。同時に、「ちょっといやな面」もきっとあるはず。彼・彼女からあなたを見たときにも、同じことがいえます。人間には、「好きになれる部分」と「好きになれない部分」があるのが普通だからです。

「彼・彼女のすべてが好き！」という時期を過ぎて少し冷静になってくると、おたがいの「好きになれない部分」も見えてきます。そのため、相手への気持ちが微妙に変化していくこともあるわけです。

「もともとの自分」のまま恋愛を楽しんでみる

彼・彼女にきらわれるかも、という不安が強いときは、自分で自分の「いやな面」に注目してしまっている可能性があります。そして視野がせばまっているせいで、自分をさらに苦しめるような対処をしているのかもしれません。

そんなときは、「もともとの自分」を思い出してみてください。不安を感じる前の自分って？　好きなことを楽しんでいるときの自分って？　考えてもよくわからないときは、後のページで紹介する方法で、過去の自分を整理しながら「隠れた強み」探しをしてみるとヒントが見つかることもあります。

「もともとの自分」には、気に入らない面もあるでしょう。でも、そんなにいやじゃない面もあるはずです。そしていやじゃない面に注目すると、「自分ってそんなに悪くないな」なんて気分になってくるのではないでしょうか？

私たちは、「よい部分も、いまひとつな部分もある自分」以外のものにはなれません。だれかにきらわれたくないからといって、「もともとの自分」を無理やりかえようとすることは大きなストレスになり、自分を苦しめることになります。そのせいで、彼・彼女との関係が苦しいものになってしまっているのだとしたら……？　これって、なんだか残念だと思いませんか？

恋愛って、楽しむものです。

相手の気持ちをコントロールすることはできないのだから、あなたが「きらわれたくない」という思いからしていることも、正解とは限りませんよね？　だったら、つらい思いをしてまで自分をかえないほうがいい。「もともとの自分」のままで、彼・彼女と過ごすことを楽しんでみてください。

「もともとの自分」を見つけるのに役立つ

4ステップの「隠れた強み」探し

つらいことが起こる前の「もともとの自分」をうまく思い出せないときは、過去の自分を振り返り、「隠れた強み」を探すことから始めてみましょう。

準備

小学校入学前、小学生時代、
中学入学後、と期間を区切り、
それぞれの時期に
印象に残っていることを
書き出す（いくつ書いてもよい）

例：Aくんと外で遊ぶのが好きだった

「準備」で書き出した項目のそれぞれについて、ステップ1〜4の作業をしてみましょう。自分のいろいろな「隠れた強み」を発見できるかもしれません。

ステップ 1

そのできごとがあなたに与えた
「よい影響」を書き出す

例：Aくんと一緒にいるのが楽しかった、体を動かすと気分がよかった

ステップ
2
そのできごとがまわりに与えた「よい影響」を書き出す

例：Aくんも楽しそうだった、ほかの子も外遊びをしたがるようになった

↓

ステップ
3
そのときの自分の「願いごと」を書き出す

例：ずっと外で遊んでいたい

↓

ステップ
4
願いごとをかなえるためにしたけれど、失敗したこと・うまくいかなかったことを書き出す

例：給食の時間が終わる前に勝手に外に出て、先生にしかられた

↓

ステップ4で挙げたこと＝自分の願いをかなえるための対処

↓

自分で考えて対処できたことは、それだけであなたの「強み」

↓

今だったら、ステップ4の行動のかわりにどうするか？　を考える

↓

よりよい方法を思いつくことができると、それがさらに「強み」に

case 12

恋愛の悩み

彼・彼女と仲のよい子にムカついてしまう

たとえば
こんなことが…

1	起こった（できごと）	彼・彼女が自分以外の子と楽しそうに話している。
2	感じた（感情・感覚・思考）	彼・彼女はあんなタイプが好きなの？　とイラッとした。楽しそうにしているふたりを見ていたくないと思った。
3	どうなった（変化したこと）	彼・彼女が仲よくしていた人に、冷たくしてしまう。

嫉妬は人として あたりまえの感情

自分以外の子と話し込んでいる彼・彼女を見て、なんだかイラッとしたりモヤッとしたり。

これが「嫉妬《しっと》」という感情です。

嫉妬は、人間の本能です。嫉妬を感じるのはあたりまえで、悪いことでもはずかしいことでもありません。また、意思の力で抑えられるようなものでもないので、「嫉妬するのはやめよう！」などとがんばる必要もありません。

嫉妬を感じたときに大切なのは、「自分は嫉妬してるんだな」と気づくことです。その気持ちを否定したり、理屈をこねて無理やり納得しようとしたりしたくなるかもしれませんが、それもやめておきましょう。

嫉妬は、決して悪い感情ではありません。どんなに嫉妬しても、それだけなら自分をこわすことはないので、思う存分味わってみてもいいんです。

嫉妬とネガティブな思考がセットになってしまうと要注意

ただし、感情にはネガティブな「思考」がくっついていることがあります。嫉妬とセットになりがちなのが、嫉妬している相手と自分をくらべるような考え方です。嫉妬していることを認めず、自分の気持ちを否定したりごまかしたりしようとすると、こうした思考が生まれがちです。

たとえば、「自分よりあの子のほうが、彼・彼女の好みのタイプなんだ」「自分みたいな陰キャよりあの子みたいな陽キャのほうが、一緒にいて楽しいんだ」というような気持ちは、純粋な嫉妬ではありません。嫉妬とネガティブな思考がセットになったものです。

ネガティブ思考がふくらんでいくとつらさが増し、さらに「彼・彼女の気持ちが、自分からはなれてしまうんじゃないか」という危機感も生まれてきます。そして危機感が強まると、彼・彼女と話していた子にいやな態度をとったり、彼・彼女を責めてしまったり……なんてことも起こりがちなんです。

でもこうした行動は、気持ちをすっきりさせてくれるわけでもなければ、嫉妬をしずめてくれるわけでもありません。それどころか、彼・彼女との関係まで気まずいものにしてしまう可能性もあります。

信頼できる相手に自分の気持ちを聞いてもらっても

自分以外の子と仲よくしている彼・彼女を見たときの気持ちが、「イラッ！」

から、つらさや苦しさにかわってきたら、少し「ガス抜き」してみるとよいかもしれません。身近に「安全な相談者」がいるなら、自分の気持ちを打ち明けてみましょう。

彼・彼女が自分以外の子と仲よくしていること、それを見てイラッとしたこと、相手の子にムカつき、思わず冷たくしてしまうこと……。

信頼できる相手と気持ちを共有することができると、つらさはやわらぐものです。つらさやモヤモヤ感を吐き出してしまえば、「嫉妬しちゃったみたい。アハハ」なんて笑い飛ばせるかもしれません。

恋愛には、次のページのような「三原則」があると思います。でも嫉妬から生まれたつらさを抱えたままでは、毎日が、苦しんだり悩んだりすることでいっぱいになってしまいます。そんなのって、もったいない！　それより、彼・彼女と一緒に楽しむことに、気持ちと時間を使ってください。

恋愛の三原則

1. 恋愛とは、おたがいの関係を
大切にするものである。

2. 恋愛とは、
楽しむべきものである。

3. 恋愛とは、そもそもだれにも
コントロールできないものである。

case 13

恋愛の悩み

彼・彼女の束縛がキツい

たとえば
こんなことが…

1	起こった（できごと）	彼・彼女から、「自分以外の子と話をするな」と言われた。
2	感じた（感情・感覚・思考）	何言ってんの？　と、とまどった。かなり引いた。
3	どうなった（変化したこと）	学校でほかの子と話すとき、彼・彼女に見られていないかどうか気になる。自分が話したい人と自由に話せなくなった。

他人の行動をコントロールしようとするのはNG

彼・彼女を束縛しようとするのも、嫉妬がきっかけになっています。嫉妬で悩んだり苦しんだりするのは、自分の問題。でもその苦しさから逃れるために、相手の行動をかえさせようとするのはNGです。

恋愛は、そもそもコントロール不能なもの。どちらかがどちらかを思いどおりに操作するなんて、あり得ないことです。あなたには、自分が好きなときに、好きな相手と、好きなだけ話す自由があります。同時に、彼・彼女にだって同じ自由があるんです。おたがいにそれを了解していなければ、相手との関係を大切にしたり、一緒に楽しんだりすることはできません。

おつき合いが始まったばかりの頃は、こうした束縛を「愛情の現れ」などと思ってしまいがち。そして、「もう、しょうがないなあ」なんて従ってしまうことも少なくありません。

でも、それがずっと続いたらどうでしょう？　あなたの行動をコントロールしようとする彼・彼女に疑問を感じ、おつき合いを続けることがつらくなってくるのではないでしょうか。

たとえ相手を思う気持ちからであっても、「〜をしてはダメ」などと、相手を自分の思いどおりにしようとするのはアウト。「もしかして、束縛されてる？」と感じることがあったら、そのままにしておいてはいけません。束縛への対処は、早ければ早いほどいいんです。

相手に束縛をやめさせるのではなく、あなたが応じるのをやめてみる

あなたの「束縛されてる度」を知る、簡単な方法があります。あなたは、次の言葉に何パーセント同意することができますか？

「私は、私の思ったようにふるまってよい」

本来の答えは、「100パーセント」です。

答えた数値が小さいほど、彼・彼女の束縛の影響を強く受けている、ということになります。いつの間にか、「彼・彼女の許可がなければしてはいけないことがある」という行動制限を受け入れてしまっているんです。

このように、自分の現在の状態を客観的に知ることは、束縛から抜け出す第一歩になります。

束縛への対処法として避けたいのが、彼・彼女に「束縛をやめて」と言ったり、束縛する理由を尋ねたりすること。相手には「束縛している」という自覚がないことも珍しくありません。そのため、「はあ？　束縛なんてしてないし」

などとひと言で片づけられてしまい、効果がないことが多いのです。

それよりも有効なのが、「あなたが彼・彼女の束縛に従わないこと」です。あなたの行動を制限するような発言には反応せず、あなたは彼・彼女が見ているときも、堂々と自由にふるまってください。

彼・彼女からの「行動制限」は、あなたがそれに従った瞬間に効力を発揮します。反対にいえば、あなたが従わない限り束縛は起こらない。主導権は、あなたが握っているんです。

一方的に束縛される関係はよい恋愛関係とはいえない

彼・彼女に従わないと相手が怒るんじゃないか、きらわれるんじゃないか、などと不安を感じる人もいるかもしれません。でも、あなたが行動制限に応じ続けるうちは、彼・彼女は束縛をやめようとはしないでしょう。あなたは、そんな関係を楽しめるでしょうか？

きらわれたり相手を失ったりすることを恐れてこのままの関係を続けると、あなたの気持ちは、「きらわれたくないから従う」から「従わなければきらわれる」にかわっていく可能性があります。そうなるとますます彼・彼女の束縛から逃れられなくなっていくでしょう。同時に、束縛される苦しみも大きくなっていくんじゃないかな、という気がします。

どちらかが相手に従わなければうまくいかない恋愛関係なんて、よい関係とは思えません。その関係をかえるために、あなたが行動をかえてみてください。

ただし、彼・彼女が怒って暴力をふるうのでは……という心配があるときは、自分だけで対処しようとするのは避けましょう。まずは大人の「安全な相談者」に相談し、サポートしてもらうことをおすすめします。

case 14

恋愛の悩み

彼・彼女に暴力をふるわれた

たとえば
こんなことが…

1	起こった（できごと）	遊びの誘いを断ったら、乱暴に腕をつかまれ、大声を出された。
2	感じた（感情・感覚・思考）	こわい。彼・彼女の言うとおりにしないとまずい。
3	どうなった（変化したこと）	彼・彼女の顔色をうかがうようになった。怒らせたくないので、反論できなくなった。

暴力を受けたら一度でも見過ごしてはダメ

暴力には、次の4種類があります。

①精神的な暴力：どなる、行動や交友関係を制限する、無視する、メールなどをチェックする　など
②身体的な暴力：なぐる、たたく、ける、腕をつかむ・ひねる、髪をひっぱる、物を投げつける　など
③経済的な暴力：デート費用を払わない、借りたお金を返さない　など
④性的な暴力：性行為を強要する、避妊をしない　など（次の項の「彼・彼女に体をさわられるのがいや」も参照）

どの種類のものであっても、暴力を受けたときはすぐに大人の「安全な相談者」に相談します。身近に相談相手が見つからない場合は、専門家が対応してくれる相談窓口などを利用しましょう（190ページ）。

相手が彼・彼女の場合、「また何かあったら相談しよう」「この程度では暴力とはいえない」などと思い、許してしまうことがあります。暴力を問題にすることがふたりの関係をこわしてしまうのではないかと不安になるためです。でも暴力は、エスカレートしながらくり返される場合がほとんどです。「暴力をふるう→相手がおびえる→自分の思いどおりになる」というループは、少しでも早く断ち切らなければなりません。

暴力を受けるのは あなたが悪いからではありません

私は暴力を受けてはいけない人間だ。

本来、私たちはこの言葉に100パーセント同意できるはずです。でも暴力をふるわれると、この気持ちがゆらいできてしまうことがあります。

彼・彼女が怒ったのは、私が誘いを断ったからだ。私の言い方が悪かったからだ。こんな風に思うのは、完全な間違いです。暴力を受けている自分をはずかしく感じる必要もありません。あなたが間違った考えにとらわれているのは、暴力のせいです。**暴力の効果は、被害者に「自分が悪いんだから仕方がない」と思わせてしまうほど大きいんです。**

暴力をふるった側にとって、あなたが黙っていることは、「私は暴力を受けても仕方がない」と言っているのと同じことです。だから、勇気を出して相談してみませんか。**あなたはどんな場合でも、だれからも暴力をふるわれてはいけない存在だ、ということを絶対に忘れないでほしいのです。**

case 15

恋愛の悩み

彼・彼女に体をさわられるのがいや

たとえば
こんなことが…

1	起こった（できごと）	部屋でふたりきりになると体をさわってくる。いやと言ってもやめない。
2	感じた（感情・感覚・思考）	気持ち悪い。こわい。つき合っているから、断っちゃいけないのかな……？
3	どうなった（変化したこと）	一緒に遊ぶのがおっくうになった。きらわれていないか心配で、相手の態度が気になるようになった。

それぞれの人に「OKタッチ」と「NGタッチ」がある

好きな人と一緒にいたい、近くにいたい、と思うのは自然なことです。近くにいれば、体に触れたいと思うのもごく普通です。でも体に触れるときは、触れられる側の気持ちを尊重しなければいけません。

人と触れ合う場合、何がOKで何がNGかは人によって違います。手をつなぐ、腕を組む、頭をなでる……。どんなものであっても、あなたがいやだと思ったら、それはあなたにとっての「NGタッチ」なんです。

OKとNGの線引きを、人とくらべる必要はありません。判断基準は、「自分がどう感じるか」ということです。たとえば彼・彼女と手をつないだとき、安心したりワクワクしたりするなら「OKタッチ」。反対に、少しでも「いやだな」と思うなら「NGタッチ」です。

あなたの体は
あなた自身のもの

NGを伝えると、彼・彼女が傷ついたり怒ったりするかもしれない、と心配する人もいるかもしれません。でも、あなたの体はあなた自身のもの。恋人のものではないんです。

恋人としておつき合いをしているのだから、体に触れたり触れられたりするのはあたりまえ、と思っている人も少なくありません。でも、それは間違いです。人の体に触れても許されるのは、触れられる側が「OK」の場合だけです。

彼・彼女にとって愛情表現のつもりでしたことでも、あなたが不快に思うなら「NG」と伝えます。相手がどういうつもりだったか、などと考えて遠慮する必要はありません。あなた自身の気持ちだけを大切にしてください。

恋人には、「OKタッチ」と「NGタッチ」に関して、きちんと意思表示していきましょう。水着で隠れる部分（プライベートパーツ）に関しては、とくに慎重に考えることが大切です。

恋愛の三原則を思い出してみてください。彼・彼女にきらわれたくないからと、本当はいやなことをがまんしなければならないとしたら、その恋愛はあなたにとって楽しめるものだといえるでしょうか？

もしかしたら、あなたが「NG」を伝えたのに聞こうとしない人もいるかもしれません。そんな人とは、すぐに距離をおくのが正解です。相手の了解を得ずに体に触れるのは、暴力の一種です。暴力をふるう人とデートをすることはとても危険なことだと思います。おまけに、「恋愛とは、おたがいの関係を大切にするものである。」という恋愛の三原則にも反しています。

case 16

恋愛の悩み

恋愛対象として自分を好きになってくれる人なんていない

たとえば
こんなことが…

1	起こった（できごと）	友だちとは楽しく過ごせるけれど、気になっている人には話しかけられない。
2	感じた（感情・感覚・思考）	自分には魅力がない。自分を恋愛対象として見てくれる人はいない。自分なんて、どうせだれからも好きになってもらえない。
3	どうなった（変化したこと）	恋バナにつき合うのがいやで友だちを避けてしまう。恋愛で盛り上がっている友だちを見るのがいや。

片想いだって
立派な恋愛

「気になる人」のことを考えてみてください。どんな気分になりますか？　どんなことを考えますか？　思い浮かんだことをノートに書き出してみましょう。

書いたことの中に、その人から「よい影響」を受けているんだな、と思えることはありますか？　たとえば「その人のことを考えるとワクワクする」「同じ学校に進学したいから勉強しようと思う」など、小さなことでかまいません。

気になる相手からひとつでも「よい影響」を受けているなら、あなたは立派に恋愛をしています。

恋愛って両想いだけじゃないし、恋人って一緒にいる関係のことじゃありません。片想いだって、相手のことを思うとワクワクする！　なんて気持ちがあるのなら、それは恋愛です。反対に「一緒にいても別に楽しくないし」なんて言う人たちは恋愛をしていないし、恋人同士ともいえないような気がします。

「まあまあ悪くない自分」を思い出す

「自分なんて、どうせだれからも好きになってもらえない」

こんな気持ちは、何かがあったときシンプルに感じる「感情」ではなく、いやなできごとなどとセットになって生まれた「思考」です。もしかしたらあなたは、恋愛や人間関係に関するいやな経験をしてきているのかもしれません。そのせいで、さびしさなどの感情に「自分なんてどうせ……」と、「自分を低く見積もる」ような思考がくっつきやすくなってしまっているのでしょう。

いったんリセットするために、つらいことが起こる前の「もともとの自分」

を思い出しましょう。好きなことをしているときの、まあまあ「いい感じ」の気分をイメージしてみてください。熱いラーメンを冷ますときのように、鼻からゆっくり息を吸い、口からフーッと吐く「ラーメン呼吸法」でリラックスしてみてもいいでしょう。

少し楽になった自分と向き合ってみると、きっと気づけると思います。「自分って、それほど悪くないんじゃないかな」って。「自分、大好き！」じゃなくていい。「まあまあ悪くない」ぐらいで十分です。そう思えたときには、「自分なんてどうせ……」という思考は、かなり弱まっていると思います。

「好きになってもらうこと」が恋愛の目的ではありません

自分って悪くないな、と思えたら、次は「自分が相手にとってどんな人でありたいか？」を考えてみてください。困っているときには助けたい、疲れているときには元気づけたい……。このときに浮かんできたことが、「あなたから相手に与えられるよい影響」です。

恋愛の目的は、「相手に自分を好きになってもらうこと」ではありません。

今、気になる相手がいて、その人と自分はおたがいによい影響を与え合うことができる。そう思うと、少し元気になってきませんか？　相手のことを大切にしたいと思いませんか？

恋愛は、だれにもコントロールできないものです。相手の気持ちをあなたが操作することはできません。でもその人を好きになったことで、あなたは「そんなに悪くない自分」に気づいて自分を大切にすることを思い出しました。さらに、相手のことも大切にしたいと思えるようになりました。こんな風に成長できたのなら、あなたの恋愛は大成功！　といえると思います。

Chapter 4 家族の悩み

case 17

家族の悩み

親が細かいことにまで口出ししてくる

たとえば
こんなことが…

1 起こった（できごと）	着たい服を着させてもらえない。だれと遊ぶのかしつこく聞かれる。親の言うとおりにしないと怒る。
2 感じた（感情・感覚・思考）	したいことができなくて不自由。親の言うとおりにしないと面倒なことになりそう。
3 どうなった（変化したこと）	いつも親の意見を気にするようになった。ちょっとしたことも自分ひとりで決められなくなった。

いやなことはいや、と言ってみる

服装や遊び相手などについて親と子の意見が合わないのは、ごく普通のことです。親からいろいろ口出しされたり指示されたりすることに、あなたが反発を感じるのも当然です。

親は、子どもを守らなければなりません。だから子どもの身に危険が及びそうなときは、全力でそれを止めようとします。でもそれが行きすぎると、危険ではないようなことにまで反応するようになることがあります。

ただし、たとえ「危険から守るため」という気持ちからであっても、親が子どもの生活のすべてをコントロールしようとするのは問題です。また、子どもの意見に耳を貸そうとせず、親の言うとおりにしないと怒るのもアウトです。

親は未成年の子どもに対して責任がありますが、だからといって子どものプライバシーを認めないようなかかわり方が許されるわけではありません。机やバッグの中を勝手にチェックする、すべての服装やもちものに注文をつける、だれとどこで何をしたのか細かく報告させる、などは明らかにやりすぎ。子どもは自分の意思をもつ人間であり、親の所有物ではないんです。

親の意見やかかわり方について気になることがあるなら、「机の中を勝手に見ないでほしい」「服は自分で選びたい」などと言ってかまわないと思います。はっきり言われるまで、子どもの気持ちに気づけない場合もあるからです。

生活のルールについては親と話し合いを

ただし、少し大人目線からの意見かもしれませんが、親には「意見を言わざるを得ないとき」もあります。未成年の子どもが深夜まで出歩いていたら? 心配でイライラする親の気持ちだって、自然な感情だろうと思います。

また中学生と高校生では、判断力や自分の力でできることもかわってきます。そのため、子どもに任せてもらえることの範囲も違うのが普通でしょう。あなたが何を着るか、だれと遊ぶか、いつどこへ行くか、などについては、正解はひとつではありません。親と話し合い、おたがいの意見をすり合わせながら「今はここまでOK」「こんなことについては相談・報告をする」などのルールを決めておくとよいのではないでしょうか。

親が子どもの生活のすべてをコントロールしようとするのは問題ですが、生活には一定のルールも必要です。子どもが親をうるさく感じるのも、親が子どもに口出しするのも、ある程度までは仕方のないことなのかもしれません。子どもと親、両方の希望が反映された生活のルールづくりを目指したいものです。

case
18

家族の悩み

親が成績にばかりこだわる

たとえば
こんなことが…

1 起こった（できごと）
テストの成績で親が露骨《ろこつ》に喜んだり不機嫌になったりする。友だちと成績をくらべられる。

2 感じた（感情・感覚・思考）
がんばったのに認めてもらえなくてつらい。努力を否定されたようでがっかり。追いつめられたような気分になる。

3 どうなった（変化したこと）
勉強がきらいになった。勉強するのがつらくなった。

結果だけを見ていると勉強による「よい影響」に気づけない

テストの成績がよい＝いいことだ！　というのは、受験や進学に焦点を合わせた見方をしているからでしょう。成績は、勉強の結果です。でも勉強でもスポーツでも、努力と結果が比例するとは限りませんよね？　がんばったけれど結果につながらないこともあれば、たいして努力していないのにたまたまよい結果が出ることもあります。ただし、仮によい結果が出なかったとしても、そこまでの努力は絶対にムダではありません。がんばることは、必ずあなたに「よい影響」を与えてくれるからです。

本来、勉強は「テストでよい成績をとるため」にするものではありません。自分にとっておもしろいことや興味のあることについてもっと知りたい！　という気持ちからスタートし、自分を高めてくれるものであるはずなんです。

成績にばかりこだわる親は、「結果さえよければいい」と思い込んでしまっている可能性があります。そのせいであなたの努力や、それによって得られたものが見えなくなってしまっているのでしょう。

成績にこだわるのは親の問題、と考えてみる

成績だけに注目するのはあまりよいこととはいえませんが、だからといって親をかえることは難しいのが現実。成績にこだわるのは親の問題であって、あなたの問題ではない、と考え方を切りかえてみてもよいかもしれません。

成績によって親が喜んだりがっかりしたりすることは、「あなた自身の価値」になんの影響も及ぼしません。テストの点数は、ただの結果にすぎないからです。

結果とは関係なく、これまでの努力や学んで身につけたことはあなたの価値を高めています。勉強から得られるものは、知識だけではありません。興味を覚えるものを見つけたり、「意外に集中力のある自分」を発見したり……なんてことも、勉強があなたに与えてくれた「よい影響」なんです。

進路や職業に直結する勉強以外に、人には「自分のため」に学びたいこともあります。そういった勉強には、中学や高校の「教科」には含まれないものも多いのです。もし今、テストでよい結果が出ないとしても、あなたはまだ本当に興味を覚えるもの、好きになれるものに出会っていないだけかもしれません。

成績にこだわる親は、親自身の不安をあなたにぶつけているところがあるかもしれませんが、それはあなたの価値をかえるものではありません。これからも自分の気持ちに従って勉強を続け、「よい影響」を受け続けていけば、自分を伸ばしていけるチャンスも広がっていくはずです。

case 19

家族の悩み

親から子ども扱いされ、意見を聞いてもらえない

たとえば こんなことが…

1	起こった（できごと）	進路について、自分の意見を聞いてもらえない。
2	感じた（感情・感覚・思考）	がっかりする。腹が立つ。親から大切にされていないような気がする。
3	どうなった（変化したこと）	親には自分の意見を言わなくなった。

子どもには自分の未来を選ぶ権利がある

子どもには子どものやりたいことがあり、親には子どもを守り、健全に育成する役割があります。子どもと親は立場が違うのですから、意見が合わないのはあたりまえ。そのことで、子どもがイラッとするのもよくあることです。

ただし、子どもの未来のことに関しては、本人の意見がもっとも尊重されなければならないはず。自分の未来を自分で選び、決める権利は、強く保障されるべきだ！ と私は思います。

多くの親は、子どもの未来について「こんな人になってほしい」「あんな暮らしをしてほしい」といった願望をもっているため、進路についても指図したがることがあります。子どもを守るために重要なことに関しては親の口出しも必要ですが、「子どもにはまだわからないから」などと決めつけて親の思う方向に子どもを誘導しようとするのは、やりすぎです。

親が守るべきなのは、子どもの「今の生活」です。その先の未来は、子ども自身が選択するもの。まだ親の力を借りなければ生活できない未成年であっても、「自分自身の未来」を決めることに関しては、子ども扱いされてはいけないと思います。

自分の「強み」を知り
あきらめずに親と話し合いを

進路について親と意見が合わない場合は、あきらめないことが肝心です。まずは大人の「安全な相談者」すべてに、自分の希望を伝えてみてください。

「安全な相談者」は、親を説得する際の味方になってくれる可能性もあるし、そうでなくても、だれかに話すことは自分の気持ちを見直し、整理することにつながります。あなたの気持ちをわかってくれる大人に、ひとりでも多く話を聞いてもらいましょう。

「安全な相談者」は、あなたの希望を聞いたうえで自分の意見を述べたり、アドバイスをしてくれたりするかもしれません。複数の人に話すことができれば、違う角度からの意見をもらうこともできるでしょう。

他人の意見は、新しい情報です。そして新しい情報を知ったうえで自分自身と向き合うことは、あなたの考えをより深めることになります。

じっくり考えても進路への希望がゆるがないのであれば、自分の将来への強い気持ち、相談者からのアドバイス、その意見を含めて考えたこと、これらのすべてがあなたの「強み」になります。自分の強みを知ったうえで、親に自分の希望を伝え続けてみましょう。

case 20

家族の悩み

親の前で「いい子」を演じてしまう

たとえば
こんなことが…

1	起こった（できごと）	親から週末の外出に誘われ、本当は行きたくなかったけれど、喜んでいるふりをした。
2	感じた（感情・感覚・思考）	親をがっかりさせたくない。期待を裏切ると、親の機嫌が悪くなるのではないかと心配。
3	どうなった（変化したこと）	親と一緒にいるのが疲れる。

自分を抑えて人に合わせるのはとても疲れること

子どもが親のいうことを聞かないのは問題にされやすいものですが、子どもがなんでも親に合わせることは当然のように受け止められたり、むしろよいことのように思われたりすることがあります。

「親の期待に応えなければ」という気持ちが強すぎる子どもは、常に「親はどう思っているだろう?」というアンテナを張り巡らせ、親の顔色をうかがっています。そして自分の希望より、「親が期待していること」という枠組みから外れないことを優先するようになってしまう場合があります。このように「親のいうことを聞くいい子」でいるのは、とても疲れることです。

親の気持ちに合わせて「どうふるまうのが正解か」と考えるのになれてしま

うと、自分の本当の気持ちがわからなくなったり、ものごとを自分で決められなくなったりしてしまうことがあります。このように、必要以上に自分を抑えて他人に合わせてしまうことを「過剰適応」といいます。

「もともとの自分」を思い出し隠れた強みを自覚する

過剰適応になるとストレスがたまって疲れ、自分に自信がもてなくなってしまいます。そんなときには、「もともとの自分」を思い出してみましょう。

私たちには、「隠れた強み」がたくさんあります。でもストレスを抱えて苦しい状態では、強みに気づくことができません。だからまずは、ストレスを感じる前まで時間をさかのぼってみます。

中学生、小学生、幼稚園……。過去の自分を思い出してみてください。親と一緒にいても今のように疲れず、「まあまあいい感じ」でいられる自分を見つけたら、そこでストップ。その時代のあなたこそ、「もともとの自分」です。

次に、過去で見つけた「もともとの自分」を見なおしてみましょう。

あなたの言動でまわりの人が喜んでくれたことはありませんか？
まわりの人からしてもらったことで、うれしかったことはありませんか？
その頃のあなたがしたかったことはなんですか？
自分のしたいことをかなえるために、どんなことをしてきましたか？

これらの答えとして出てきたことは、すべてあなたの「強み」です。あなたにはたくさんの強みがあるのだから、親の顔色をうかがう必要はありません。
あなたは自信をもって、自由にふるまっていいんです。

「言いたいことリスト」をつくり できそうなものから親に言ってみる

過剰適応から抜け出せないのは、親に合わせておけば衝突を防げる、という「かりそめの解決力」に頼っているからです。でも、今のままでは自分がわからなくなり、ストレスも増していくでしょう。つらさをやわらげるためには「いい子」をやめ、「もともとの自分」のままで親と向き合う必要があるんです。

「もともとの自分」に戻る第一歩として、次ページのような「言いたいことリスト」をつくり、ストレス度が小さいものから親に伝えてみます。勇気が出ないときは、心の中でこんな風にとなえてみてください。「自分は親と違う意見をもってもよい」「意見のぶつかりで起こるトラブルは人生の栄養剤」このふたつは、私がおすすめする「自分を助けるおまじない」です。

言いたいことリスト

1 「親に言いたいけれど言えていないこと」を具体的に書き出す。
2 1で挙げたことを口に出す場面を想像し、それぞれのストレス度が10点満点で何点かを書き込む。

親に言いたいけれど言えていないこと	ストレス度（10点満点）
例 トマトがきらいだ	1
門限を1時間のばしてほしい	5

case 21

家族の悩み

自分よりきょうだいのほうが、親にかわいがられている気がする

たとえば こんなことが…

1	起こった（できごと）	親が、自分より兄にやさしい。何かというと兄と自分をくらべる。
2	感じた（感情・感覚・思考）	自分は兄よりダメな人間だと思う。兄に腹が立つ。
3	どうなった（変化したこと）	兄がきらいになった。きょうだいげんかが増えた。

きょうだいであっても
別々の人間として見られるべき

親は、自分の子どもたちが別々の人間だ、ということを忘れてしまいがちです。同じ親から生まれたきょうだいとはいえ、それぞれが異なる特性や好みをもち、異なる人生を歩んでいきます。でも親は、きょうだい全員に同じものを求めたり、同じことを好むと思い込んでしまったりすることがあるんです。

また生まれ順によって、親がイメージする役割を押しつけようとすることも珍しくありません。上の子には、「おにいちゃんなんだから、がんばりなさい」。下の子には、「おにいちゃんができたんだから、あなたもやりなさい」。

親に悪気はないのですが、子どもにとってはいやなことやつらいこともあります。子どもって、意外に親に苦労させられているもの。そして苦労の種類も、人によって違うんです。

いつも親にかわいがられているおにいさんに、あなたがイラッとする気持ちはよくわかります。でもこの場合、おにいさんが悪いわけではないんです。あなたが「妹」として苦労しているのとは違う面で、おにいさんも親とのかかわりに苦労している可能性もあります。

親は子どもに偏った対応をしてしまうこともある

あなたがおにいさんに反感を覚える原因は、親の接し方にあります。親は本来、きょうだい全員に公平にふるまうべきですが、なかなかそうはいきません。子どもの個性はさまざまです。たとえば、兄は親に合わせるのが上手だけれど、妹は苦手だったらどうでしょう？　親は、自分にうまく合わせてくれる兄と接するほうが楽なはず。そしてつい、妹にも兄のようにふるまうことを期待してしまいます。

でも妹は、兄とは別の人間なので、親の期待どおりにはできません。すると親は「どうして、おにいちゃんみたいにできないんだろう?」などとがっかりします。その結果、兄と妹に対する接し方がかわってきてしまう……なんてこともあるかもしれません。

おかしなことに、子どもがこうした対応の違いに不満を感じていても、親にはどちらかを「えこひいき」しているつもりなどないことがほとんどなんです。

こうした場合、子どもにできるのは「具体的な希望を親に伝える」ことです。自分がどうしてほしいのかを、親にわかる形で伝えていきましょう。

まず、あなたが親にどうしてほしいのかを考えます。注意したいのは、あなたが「ムカついていること」と「自分の望み」を一緒くたにしないことです。

たとえば、兄ばかりほめられることにムカついていると、「おにいちゃんばかりほめないでほしい」と望んでいるのだとカン違いしてしまいがちです。

でも、よく考えてみてください。親がおにいさんをほめなくなれば、満足できるのでしょうか？　あなたに対する親の態度が今とかわらなくても？　たぶん、そんなことはないでしょう。

この場合、「おにいさんをほめないでほしい」は、あなたがムカついていること。本当の望みは「自分にも得意なことがあるのだから、それを認めてほめてほしい」だったりします。

自分がしてほしいことを伝えるためには工夫も必要

自分の望みがわかったら、それを親に伝えます。**伝える際に大切なのは、必**

ず「～してほしい」とポジティブな形で表現することです。

なぜこんな工夫をしなければならないのかというと、「～しないでほしい」「～されたくない」と言われると、親は混乱するからです。たとえば「おにいちゃんばかりえこひいきしないでほしい」と伝えたら、「そんなことしてません！」と親に全否定されてしまうかも……。

子どもが「～しないでほしい」と思うことの多くは、親にとって「しているつもりはないこと」です。だから、やめるのも難しい。でも「～してほしい」だったら、具体的に何をすればよいのかすぐにわかります。

少し手間はかかりますが、「自分は親にこんな風にかかわってもらいたい」「自分は親からこんな風に見られたい」ということをじっくりイメージしてください。その願いを「こうしてほしい」とポジティブな表現でぶつければ、親にもきっと伝わると思います。

case
22

家族の悩み

両親のけんかを見るのがいや

たとえば
こんなことが…

1 起こった（できごと）
父と母が、毎日のようにどなり合いのけんかをする。

2 感じた（感情・感覚・思考）
こわい。けんかばかりする親に腹が立つ。親のけんかは自分のせいなのではないかと思う。

3 どうなった（変化したこと）
両親が一緒にいるところにいたくない。親がいないところでもふたりのけんかを思い出す。家にいるのがストレス。

両親の問題は身内以外の「安全な相談者」に相談を

どんな夫婦であっても、夫婦げんかをゼロにすることはできません。でも夫婦げんかは、子どもの前でしないのが基本だと思います。

こうした問題の場合、**両親の両方またはどちらかに「けんかをやめてほしい」と伝えても、解決にはつながりにくいものです。**けんかの当事者である両親は、おそらくおたがいに「相手が悪い」と感じていると思います。そのため、話し合いをしようとしてもスムーズにいかないことが多いんです。

衝突を避けるためにどちらかががまんする、という方法も根本的な解決にはなりません。一時的にけんかがおさまることがあっても、がまんさせられる側にはストレスがたまるもの。そのうち抑えきれなくなってしまうと思います。

こうした夫婦げんかの場合は両親の両方が当事者なので、家庭の外に助けを求めましょう。大人の「安全な相談者」の中に家族や親せき以外の人がいれば、その人に事情を打ち明け、相談してみてください。

親せきも相談者の候補から外すのは、両親のどちらかの身内だからです。こうしたもめごとがあった場合、多くの人は、つい身内の味方をしたくなってしまいます。そして身内をかばいたい思いが先に立ってしまうと、実際に何が起こったのか、そのためにあなたがどんな思いをしているのか、ということにきちんと向き合うことが難しくなってしまうでしょう。

両親のけんかはあなたのせいではない

両親のけんかは、理由がなんであっても両親の問題です。あなたには、なんの責任もありません。

でも親どうしがガチでけんかする姿を見れば、子どもがつらくなるのも当然です。同時に恐怖を覚えたり、腹が立ったりもするでしょう。そして、こういった気持ちの混乱から「自分のせいでけんかをしているんじゃないか」なんて考えが浮かんできてしまうことがあるんです。

親は本来、夫婦が激しく争う姿を子どもに見せるべきではありません。子どもは常に、親に守られるべき存在だからです。

両親のけんかを「自分のせいではないか」などと考えてしまうのは、人が激しく争う場面を見たために脳が混乱しているからです。あなたは、両親のけんかの原因ではありません。

あなたは、守られるべき存在です。見たくないものを見せられてしまうのはつらいことですが、だからといって自分を責める必要はないんです。

これって、虐待？

case 23

身体的虐待：

家族からたたかれるなど

たとえばこんなことが…

1	起こった（できごと）	親が決めた門限に少しでも遅れるとたたかれる。
2	感じた（感情・感覚・思考）	こわい。痛い。門限を守らなかった自分が悪い。
3	どうなった（変化したこと）	自宅に帰るのがこわくなる。

心理的虐待：

家族に無視される、暴言をはかれるなど

たとえばこんなことが…

1	起こった（できごと）	きょうだいとは普通に話すのに、親がいつも自分だけ無視する。
2	感じた（感情・感覚・思考）	悲しい。腹が立つ。自分に悪いところがあるから無視されるのかな。
3	どうなった（変化したこと）	家にいたくない。家族と顔を合わせるのがいやになる。

性的虐待：

家族との体の距離が近すぎる、ひわいなことを言うなど

たとえばこんなことが…

1	起こった（できごと）	親やきょうだいから、不用意に体をさわられる。
2	感じた（感情・感覚・思考）	気持ち悪い。家族から大切にされていない。自分が何か悪いことをしたのかな。
3	どうなった（変化したこと）	親やきょうだいと一緒にいるのがこわい。家に帰りたくない。

ネグレクト：

生活に必要な環境を整えてもらえないなど

たとえばこんなことが…

1	起こった（できごと）	両親が深夜まで留守にしがちなのに、食事の準備がまったくされていない。
2	感じた（感情・感覚・思考）	さびしい。自分のことなんてどうでもいいのかな。
3	どうなった（変化したこと）	親なんてこんなもの、とあきらめた。自分にはあまり価値がないと思うようになった。

子どもの虐待は4タイプに分けられる

●身体的虐待

人の体に痛みを与えるのは、許されないことです。たとえ家族であっても、相手に暴力を加える、体を傷つける、家から閉め出すなどの行為は、身体的虐待に当たる可能性があります。

親は「しつけのため」「指導の一環」などの理由で、子どもへの暴力を正当化しようとすることがあります。でも、子どもの側に望ましくない行動があったとしても、親が暴力をふるってよいことにはなりません。

残念なことに、「子どもが望ましくないことをしたら親が罰を与えるのはあたりまえ」と思っている大人は少なくありません。でも暴力と、しつけや指導はまったく違います。親子であっても暴力は絶対に許されません。

●心理的虐待

人格を否定するようなことやおどすようなことを言ったり、長い期間、無視を続けたりすることは、心理的虐待に当たる可能性があります。

子どもが望ましくないことをすれば、親にしかられることもあるでしょう。でもその際の言葉は、子どもに適切なことを教えるためのものであるべきです。心を傷つけられるような言葉からは、子どもは何も学ぶことができないのです。心理的虐待が疑われるような言動は、しつけや指導とはいえません。

●性的虐待

たとえ家族であっても、正当な理由もなく体にさわる、ひわいな言葉を聞かせる、ひわいなものや行動を見せる、といったことは許されません。性的な行為を強要することだけでなく、これらも性的虐待に当たる可能性があります。

性的虐待に当たるかどうかは、あなたがどう感じたかで決まります。体をさわられた場合、それが水着で隠れる部分（プライベートパーツ）だったら完全にアウト。それ以外であっても、あなたがいやだな、と思うのならNGです。

親やきょうだいの場合、さわった側には悪気がないことも多いでしょう。でも相手がどう思っているかは関係ありません。大切なのは、「何が起きたか」と「あなたがどう感じたか」ということだけです。

●ネグレクト（育児放棄）

短時間の留守番などの場合を除き、必要最低限の食べものや清潔な服などを用意せずに子どもを放置することは、ネグレクトに当たる可能性があります。

子どもの衣食住を保証することも、親の大切な役割のひとつです。中高生になれば、ひとりで過ごすこと自体は珍しくありません。でも、深夜まで留守にするのがわかっていながら食事を用意しない、ということが続くのは問題です。ネグレクトが続くと、子どもは環境に慣れていくしかありません。その結果、自分を大切に思えなくなってしまう……ということも起こってきます。

「NG信念」をもたない安全な大人に相談を

虐待を受けると、子どもは「自分のせいだ」と自分を責めてしまいがちです。でも虐待は、100パーセントするほうが悪い。**あなたは虐待によって心が傷ついているために、自分が悪いかのように思わされてしまっているだけです。**

虐待は、自分ひとりで解決できる問題ではありません。できるだけ早く、大人の「安全な相談者」とつながりましょう。

ただし虐待に関することは、慎重に相談してください。教育に体罰は必要だ、親は子どもに多少のことをしても許される、などのゆがんだ信念をもっている人も少なくないからです。このような信念は、すべて大間違い。「NG信念」です。でも、本人はそれが「NG」であることに気づけないことが多いんです。

ほとんどの問題において「安全な相談者」としてかかわってくれる人でも、虐待に関しては「NG信念」をもっている場合があります。少し話した段階で「NG信念」が出てきたら、虐待に関しては「安全な相談者」ではない、ということです。その人への相談はやめ、安全につながれる別の人を探しましょう。

子どもの虐待について十分な知識をもっている人は、まだ多くありません。身近に大人の「安全な相談者」がいない場合は、専門家が対応してくれる相談窓口を利用しましょう（190ページ）。

Chapter

5

自分自身の悩み

case 24

自分自身の悩み

自分に自信がもてない

たとえば
こんなことが…

1	起こった（できごと）	仲のよい友だちが、部活動の地区大会で優勝した。
2	感じた（感情・感覚・思考）	すごいな。でも自分は何も結果を出していない、と落ち込む。
3	どうなった（変化したこと）	勉強や部活に打ち込んでいる人を見るのがつらくなった。

結果だけを追い求めてしまう成果主義の魔力

将来の夢を尋ねると、こんな答えが返ってきます。スポーツ選手、研究者、デザイナー……。ほとんどの人が、「職業」を挙げるのはなぜでしょう？

私たちはそれぞれの人の職業を、子ども時代からの「がんばりの成果」ととらえているのかもしれません。そして成果を上げるために、子どもの頃から勉強やスポーツに一生懸命取り組みます。がんばって結果を出すほど、その先には恵まれた人生が待っているはずだ！　と思っているからです。

よい成績をとることや目標の達成を目指して、ひたすらがんばる！　私たちの中には、社会がつくり上げたそんなシステムがインストールされてしまっているような気がします。

こうしたシステムの中では、目に見える結果を出すとほめられます。まわりから認められたりほめられたりするのは、だれにとってもうれしいことです。がんばってきてよかった、という達成感も得られるでしょう。

私は、このときの気分のよさには、一種の「成果主義の魔力」ともいうべき要素があると思っています。そして「魔力」である以上、使い方には注意が必要な部分もあるんです。

学校生活の目標ってよい結果を出すこと……？

「成果主義の魔力」にはまると、「まわりから認められるような結果を出すこと」に気持ちをうばわれてしまう場合があります。何においても結果がすべてであり、よい結果を出すことだけが「すごいこと」「えらいこと」のように思えてきてしまうんです。

そうなると、よい結果を出せなかったときにどうなるでしょう？　うまくいったときとは反対に、「自分は、すごくもえらくもない」なんて気分を生み出してしまうことになります。

また、結果を出すために過剰な努力やがまんをすることにもつながりかねません。もちろん、努力もがまんも悪いことではありません。でも大切なのは、「だれが決めたのか」ということです。

自分が本当に求めているなら、スポーツの厳しい練習も自分を追い込むような勉強法も、「よいがまん」になります。でも実際には、トップの成績をとるためにはこのぐらいしなくちゃダメだ、などと他人から押しつけられたり、まわりの期待に応えるために仕方なくがんばったりすることも多い。これって、本当はちょっとおかしいことなんです。

仮に結果を出せたとしても、無理な努力やがまんを続けることは大きなストレスになります。そしていずれは、努力が報われないことも出てくるでしょう。こう考えると、よい結果を目指すことだけが学校生活の目標になってしまうのは、ほとんどの人にとってつらいことなんじゃないかな？　と思えてきます。

結果を出せないのではなく打ち込めるものが見つかっていないのかも

大会で優勝した友だちを見て落ち込んでしまうのは、「どんな結果を出したか」という基準で自分とくらべてしまうからです。でも、今のあなたは「結果を出せていない」のではなく、友だちにとっての部活のように、打ち込めるものが見つかっていないだけなのではないでしょうか。

中学～高校で学べる教科や芸術活動、部活動などの種類は、とても限られています。「学校」という小さな枠組みの中に、自分が興味をもてるものがない、という人は決して少なくないと思います。

今は生活の中心であっても、学校は、あなたがこれから出ていく世界のほんの一部にすぎません。「成果主義の魔力」に取り込まれそうになったときは、自分の「夢」を想像してみてください。

この場合の夢は、職業ではありません。あなたは大人になったとき、どんな暮らしがしたいですか？　毎日、どんな気分で過ごしたいですか？　ライフスタイルそのものを思い描いてみてください。少し楽しくなってきませんか？

夢にはいろいろなものがあります。夢につながるのは、考えていると楽しくなるような、自分の好きなことや学びたいことです。そしてあなたが興味を覚えることが、「目に見える結果が出るもの」であるとは限りません。友だちと同じ基準で、自分の夢をはかる必要はないんです。

case 25

自分自身の悩み

気分が落ち込みやすい

たとえば

こんなことが…

1 起こった（できごと）
仲のよい友だちとも一緒に過ごすのがおっくう、部活がおもしろくなくなってきた、成績が下がった。

2 感じた（感情・感覚・思考）
何をしても楽しくない、面倒くさい、集中できない、疲れやすい。

3 どうなった（変化したこと）
学校に行くのがつらい。好きだった部活動もいやになった。

落ち込みが長く続くときは体調チェックをしてみる

好きだったことや楽しんできたことが、楽しいと思えなくなる。とくにトラブルがあったわけではないのに、友だちと一緒に出かけたり遊んだりすることが面倒になる。

これまで普通にできていたのに、なぜか勉強に集中できなくなる。こんな風に、これまでできていたことや前向きに楽しめていたことができなくなると、自分でも驚きます。「なぜできないんだろう」「これまでどおりにやらなければ」などとひとりで考えるうちに、「自分は何もできないダメな人間だ」なんてところまで自分を追いつめてしまうこともあるでしょう。

でもこういった気分の変化や落ち込みは、思春期にはよく見られることです。1～2週間で気分が元に戻るようなら、深く考えなくて大丈夫です。

でもそれ以上続く場合は、体調のチェックをしてみるとよいかもしれません。

熱が出ると、体がだるくなりますよね？

それと同じで、体のどこかに不調があると、心にも影響を及ぼすことがあります。体と心のことは分けて考えてしまいがちですが、実はちゃんとつながっているんです。

脳を含む体の疲れが心に影響を及ぼすことも

勉強や人間関係など、「これまでできていたことができなくなった」と感じる場合、健康の問題が原因となっていることも考えられます。体の不調は、自覚症状がはっきり現れるものばかりではないので、体調チェックをしておくのは有効だと思います。

まずは、かかりつけの小児科や内科を受診しましょう。とくに体調の悪さを感じていなくても、貧血などが隠れていることもあります。

体のチェックをしてとくに問題がないようなら、心の健康チェックをしてみてもよいと思います。「心の健康」なんて言われると、「え？　なんかいやだな……」という気分になるかもしれません。

でも、これまでの自分とくらべて今の自分に違和感があるようなときは、体のどこかが疲れていることが原因になっている場合が少なくありません。そして、体にはもちろん脳も含まれます。

体の一部である脳が疲れてしまうと、心の健康に影響が出ることがあります。つまり心のバランスが乱れるのは、あなたの人間性ではなく、「脳を含む体」が疲れ、調子をくずしていることが原因である場合が多いんです。

健康診断のつもりで心の健康チェックを

心の健康チェックは、中高生であれば、子ども～思春期を専門に診察する「児童精神科」で受けることが多くなります。近くに児童精神科がない場合は、心療内科や精神科を受診しましょう。できれば事前に連絡し、中高生でも診察を受けることができるかどうか確認しておくと確実です。「児童精神科」の表示がなくても、中高生の診察経験が豊富な精神科医は少なくありません。

どこを受診するべきか迷ったときは、各都道府県にある「精神保健福祉センター」（191ページ）のサイトなどで情報を集めてみてもよいと思います。

心の不調に関しては、「こんなことで病院に行っていいの？」という迷いがあるかもしれません。でも、自分で「なんだかおかしいな」と感じることがあるのなら受診してみましょう。

「少しがまんしていれば楽になる」「だれにだって悩みはあるんだから」などと、つらさをがまんし続けないでください。自分の心の健康状態（＝脳の疲れの状態）を自分で正しく診断することができる人は、まずいないんです。

一般的な健康診断は、「健康かどうかを確認するため」に受けるもの。深刻な不調を感じていないからといって「病気じゃないかもしれないのに、受けていいのかな？」などと迷う人はいませんよね？

心の健康チェックも、これと同じ。受診する側は、「心の健康状態を確認するため」に病院に行くんです。あなたの脳の疲れぐあいを確認するのは、医師など専門家の仕事です。受診には抵抗を感じることもあるかもしれませんが、つらいときには「体の一部である脳の健康診断」をするつもりで、医師に相談してみてください。

case 26

自分自身の悩み

自分の性別に違和感がある

たとえば
こんなことが…

1 起こった（できごと）
体の変化を受け入れられない。制服に違和感がある。体と心の性が一致していない気がする。

2 感じた（感情・感覚・思考）
自分はちょっとおかしいのかな？　と混乱する。

3 どうなった（変化したこと）
つらいけれど、だれにも相談できない。

体と心の性は一致しているとは限らない

人には「体の性」と「心の性」があります。

体と心の性は必ずしも一致しているとは限りません。体も心も男性または女性、ということもあれば、体は男性だけれど心は女性、体は女性だけれど心は男性、ということもあります。体の性にかかわらず、心の性を男性・女性のどちらかに決めたくない、と感じる場合もあります。さらに、成長に伴って変化していくことも決して珍しくありません。

自分の体や心の性とは別に、「好きになる性」も人それぞれです。こう考えると、「体の性」「心の性」「好きになる性」の組み合わせには、さまざまなパターンがあることがわかるでしょう。

体と心の性が一致していない場合、日常生活で不自由さを感じることが出てきます。とくに集団生活を送る学校では、「体の性」で男女分けされることが少なくありません。そのため、トイレや服装、着替え、健康診断などでつらい思いをする場面もあるかもしれません。

文部科学省では、体と心の性が一致していない生徒に対して、教育現場で「個別に、きめ細かな対処」をしていくことを求める通知を出しています。この通知では、体の性で一律に「男子・女子」と分けるのではなく、生徒ひとりひとりに合わせて配慮していくことの重要性が説明されています。学校にも、困りごとを抱えている生徒を支援する体制が整いつつある、ということです。

学校での「過ごしづらさ」を減らすための配慮を求めてよい

こうした悩みは、人に相談しにくいかもしれません。でもつらさを感じたときは、大人の「安全な相談者」に自分の気持ちを話してみてください。

大人に相談したほうがよいのは、学校への働きかけをサポートしてもらえるからです。身近に適切な相談者がいない場合は、ひとりで抱え込まず、専門家が対応してくれる相談窓口などを利用しましょう（190ページ）。

学校を「つらい場所」にしないためには、学校での「過ごしづらさ」をなくしていくことが大切です。

あなた自身が違和感を覚えていることはなんですか？　制服？　トイレ？　それがどんなことであっても、あなたがつらいと思うなら、学校側に配慮を求めましょう。これは決して「特別扱い」ではありません。あなたの学校生活を守るために必要なことです。あなたは、守られるべき存在なのですから、必要な配慮はしてもらってよいのです。

case 27

自分自身の悩み

新しい環境になじめない

たとえば
こんなことが…

1	起こった（できごと）	クラスがえがあり、仲のよい友だちと別々のクラスになってしまった。
2	感じた（感情・感覚・思考）	新しいクラスになじめない。緊張する。毎日疲れる。
3	どうなった（変化したこと）	学校を休みがちになった。

環境がかわると、自分の中の「がんばるキャラ」が動き出す

あなたが感じている疲れは、新しい環境に適応しようとがんばったためのものだと思います。新しいクラスでの生活をよいものにしようという思いから、失敗しないようにと緊張したり、まわりの友だちに気をつかったりしていたのではないでしょうか。新しい環境になじもうとするのはよいことですが、がんばりすぎると心に負担がかかってしまうんです。

新しい生活が始まったときには、だれでも「よし、やるぞ！」と思うでしょう。そして、自分でも気づかないうちに気合いを入れてしまいます。すると、自分の中の「がんばるキャラ」が積極的に動き出すんです。

「がんばるキャラ」の特徴のひとつが、その存在が気づかれにくいことです。

自分の中で「がんばるキャラ」が走りまわっていても、あなには「がんばっている」という自覚がありません。あなたは「最近、何もしていないのに疲れるなあ」なんて思っているかもしれません。でもそれこそが、「がんばるキャラ」が活躍している証拠なんです。

自分の行動を見直し「がんばるキャラ」の存在に気づく

まずは新しいクラスになってから自分ががんばってきたことを見直し、「がんばるキャラ」の存在に目を向けましょう。

友だちをつくろうと積極的に話しかけてきた、クラスで浮かないように話を合わせてきた、いつも笑顔でいることを心がけてきた……。「がんばるキャラ」のしてきたことは、予想以上にたくさん思い浮かぶのではないでしょうか。

こうしたがんばりは、あなたがクラスになじむのに役立ったでしょう。「がんばるキャラ」のおかげでスタートダッシュはうまくいった、ということです。

次に、「がんばるキャラ」にブレーキをかけましょう。「がんばるキャラ」は、放っておくと「もっとがんばろう！」と突っ走ろうとします。でも、がんばってばかりでは疲れてしまいますよね。だから、あえて「がんばるキャラ」を抑えてあげることが大切なんです。

「がんばるキャラ」にブレーキをかけるふたつの方法

「がんばるキャラ」を抑えるために有効な方法は、ふたつあります。**ひとつめが、「目標を先のばしする」ことです。**

たとえば、「5月のスポーツ大会までには友だちをつくりたいのに、なかなかできない」という場合。「もう4月末なのに」などとあせると「がんばるキャラ」が動き出してしまいます。そんなときに役立つ方法が、目標をずらしてしまうことなんです。

友だちづくりの目標が「5月のスポーツ大会」だと「今すぐなんとかしなくちゃ！」と思うけれど、「1学期中」なら、4月末からあせる必要はありませんよね。今はまだがんばらなくて大丈夫、という状況をつくれば、「がんばるキャラ」はおとなしくなります。

ふたつめが、「やさしくする」ことです。

仲よしの友だちが疲れているとき、あなたはどんな風に声をかけますか？その言葉を、自分自身にかけてあげてください。「がんばるキャラ」は、あなたの大切な一部です。存在を認めてやさしくいたわってあげれば、自分が疲れていることを無視してまでがんばる、といった無理はしなくなるはずです。

「がんばるキャラ」をなだめる方法

目標の先のばし

ゴール
ゴール
今すぐなんとかしなくちゃ！
まだがんばらなくても大丈夫だな

やさしくする

やさしくしてもらえると……

自分の体力や気力を考えながら、ほどよくがんばる

存在に気づいてもらえないと……

とにかくがんばる！
もっとがんばる！
倒れてもいいからがんばる！

case 28

自分自身の悩み

進路のことが不安でたまらない

たとえば
こんなことが…

1	起こった（できごと）	受験生の学年になった。
2	感じた（感情・感覚・思考）	志望校に落ちたときのことを考え、こわくなる。
3	どうなった（変化したこと）	勉強に集中できなくなった。

合格できそうなレベルかどうかによって対処法もかわってくる

受験の合格・不合格は、テストの点数で決まります。そのため、自分の気持ちではなく、数字で見たほうがよい部分もあります。

このケースでは、模擬テストなどの結果から、「志望校に合格できそうなレベルにある場合」と、「志望校に合格できるレベルにまだ達していない場合」を分けて考えていこうと思います。

合格できそうなレベルなら不安をコントロールする工夫を

受験勉強に必要な緊張感も、実は不安から生まれています。不安がまったくなければ、勉強しようと思わない人も多いのではないでしょうか。ある程度のレベルまでなら、不安という感情は悪いものではありません。ただし、集中力を落としたり体調をくずしたりするほどの強い不安を感じるなら問題です。

不安が強すぎるときは、不安という感情に、ネガティブな思考がくっついている可能性があります。それは、「完璧にやらなきゃ合格できるわけがない！」という完璧主義かもしれないし、「この問題を完全に理解できないと先に進めない」などのこだわりかもしれません。

あなたの不安を高めている思考を見つけたら、それに「カンペキキャラ」などの名前をつけてみてください。名前をつけることによって、自分を苦しめている思考の存在を意識しやすくなるからです。

次に、「カンペキキャラ」に対抗するキャラを考えます。悪いことばかり考えて「もうダメだ〜」とあせりまくる「カンペキキャラ」を、やさしくなだめるものをイメージしてください。がんばりを認める「OKキャラ」、ちょっとテキトーな「大丈夫キャラ」など、なんでもかまいません。

勉強が進まなかったときなどに「カンペキキャラ」が動き出して不安を感じたら、「OKキャラ」などの出番です。そして「十分できてるからOK」「明日がんばれば大丈夫」などと、やさしくなだめたり励ましたりしてみましょう。

勉強ははかどる日もあれば、あまり進まない日もあるのが普通。「OKキャラ」などの力を借りると、うまくいかなかったときの自分も受け入れやすくなります。その結果、不安もやわらいでいくんじゃないかな、と思います。

合格レベルに達していないなら「志望校に行きたい度」を考えてみる

成績が合格レベルに達していない場合、「合格できないかも」という不安を感じるのはごく普通のことです。あなたが志望校に行きたい気持ちは何パーセントぐらいですか？　勉強を始める前などに、「志望校に行きたい度」を毎日記録してみてください。このときに大切なのは「行かなきゃダメだ」「行けそうか」といった気持ちをなくし、純粋に「行きたい」度合いを考えることです。「志望校に行きたい度」が高く、勉強するほどそれが高まっていくなら、あなたの思いは本物です。本物の願いはあなたの強みになるので、勉強を続けるうちに不安も小さくなっていくでしょう。

でも受験に関しては、どこかで現実的な選択をしなければならないこともあります。前もって志望校を最終決定するタイミングを決めておき、そこを目標にがんばってみるとよいと思います。

「志望校に行きたい度」が低かったり下がったりする場合は、本当の気持ちを考えてみてください。そのうえで志望校を見直すのもアリかもしれません。

強い不安をなだめるために

1 不安を高めている思考に名前をつける。
2 ❶のキャラに対抗するキャラをイメージする。
3 ❶が動き出したら❷をぶつけて気持ちをなだめる。

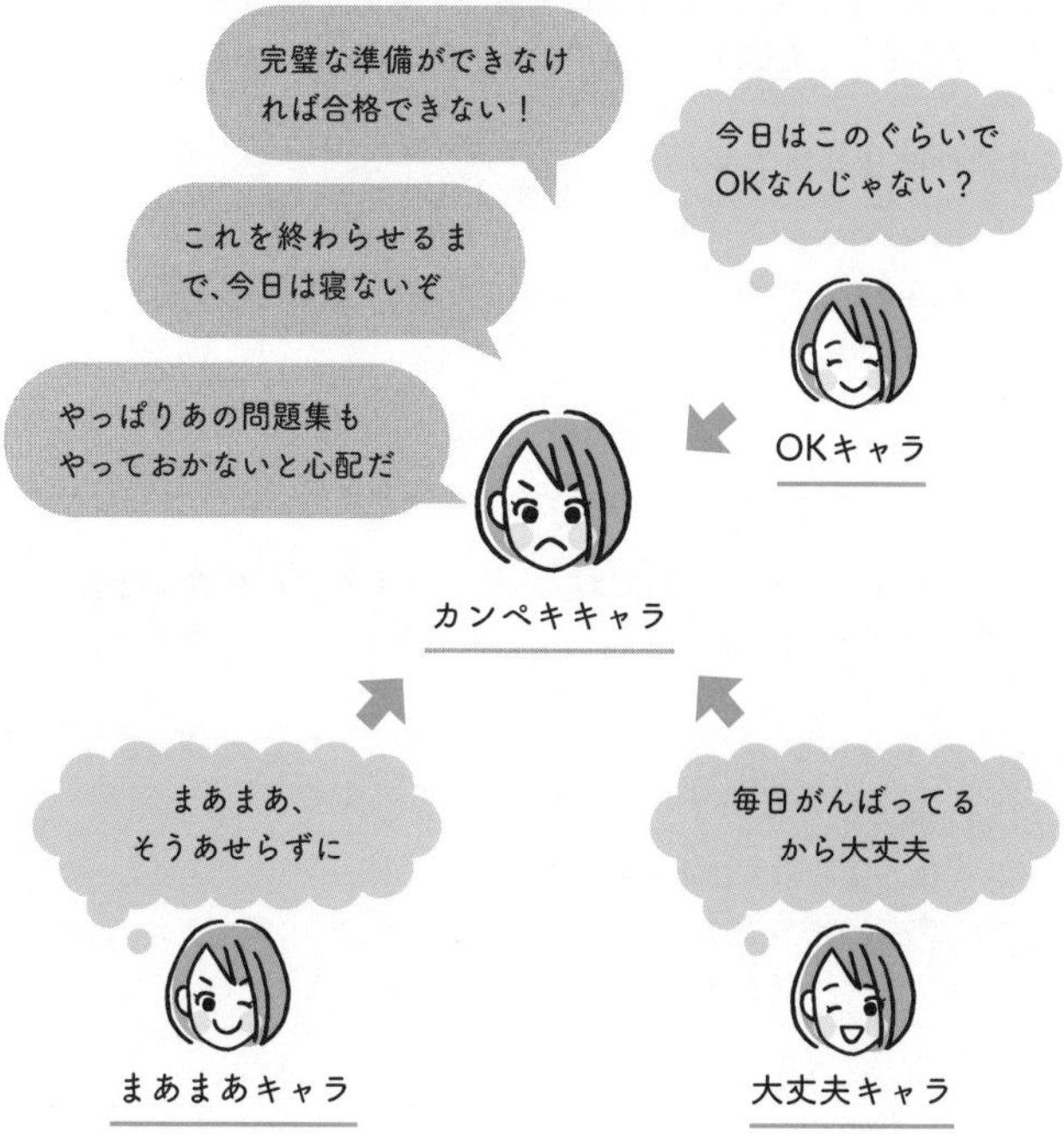
完璧な準備ができなければ合格できない！
これを終わらせるまで、今日は寝ないぞ
やっぱりあの問題集もやっておかないと心配だ
カンペキキャラ
今日はこのぐらいでOKなんじゃない？
OKキャラ
まあまあ、そうあせらずに
まあまあキャラ
毎日がんばってるから大丈夫
大丈夫キャラ

悩んだときにサポートが受けられる相談窓口

▶Mex（ミークス） 10代のための相談窓口まとめサイト

https://me-x.jp/
さまざまな子どもの悩みに応じる各相談先の情報を提供。10代の悩みにまつわる読みものや動画なども紹介している。

▶児童相談所虐待対応ダイヤル

189（いちはやく）
地域の児童相談所につながり、虐待に関する通告・相談をすることができる。匿名での相談等も可能。

▶24時間子供SOSダイヤル

0120-0-78310（なやみ言おう）
地域の教育委員会の相談機関につながる。子どもの悩み全般に対応しており、夜間や休日でもOK。

▶チャイルドライン

https://childline.or.jp/
上記サイトよりチャットによる相談も可能。
0120-99-7777（年末年始などを除く16:00 ～ 21:00）
18歳以下の子ども専用の相談窓口。ボランティアのスタッフが対応。

▶子どもの人権110番

http://www.moj.go.jp/JINKEN/jinken112.html
上記サイトよりメール相談も可能。
0120-007-110(平日8:30 ~ 17:15)
いじめや虐待など子どもをめぐる人権問題に対する相談に、法務局、地方法務局の職員、または人権擁護委員が対応。

▶デートDV110番

http://ddv110.org/
0120-51-4477(年末年始を除く火曜日18:00 ~ 21:00、土曜日14:00 ~ 18:00)
デートDVに関する相談に、専門の研修を受けた相談員が対応。匿名での相談、本人以外からの相談も可能。

▶全国の精神保健福祉センター一覧

https://www.mhlw.go.jp/kokoro/support/mhcenter.html
心の悩みに関する相談について、保健師や精神保健福祉士等の専門職が対応。受付時間など詳細は、最寄りのセンターHPで確認を。

▶こころのほっとチャット

@kokorohotchat (毎日　第一部 12:00~16:00〈15:00まで受付〉、第二部 17:00~21:00〈20:00まで受付〉)
https://www.npo-tms.or.jp/
LINE、Twitter、Facebook、ウェブチャットを使用したチャット相談ができる。専門講習を受講した相談員が対応。
毎月1回最終土曜日は相談時間を延長し、深夜~早朝も相談実施。詳細はHPへ。

井上　祐紀：児童精神科医（子どものこころ専門医）。1998年岐阜大学医学部卒業。2011年社会福祉法人日本心身障害児協会島田療育センターはちおうじ（診療科長）。2014年公益財団法人 十愛会 十愛病院（療育相談部長）。2015年社会福祉法人青い鳥横浜市南部地域療育センター（所長）などを経て、2019年東京慈恵会医科大学精神医学講座(准教授)。

10代《だい》から身《み》につけたい
ギリギリな自分《じぶん》を助《たす》ける方《ほう》法《ほう》

2020年５月27日　初版発行
2021年４月５日　５版発行

著者　井上祐紀《いのうえゆうき》
発行者　青柳昌行
発行　株式会社 KADOKAWA
〒102-8177 東京都千代田区富士見2-13-3
電話　0570-002-301（ナビダイヤル）
印刷所　大日本印刷株式会社

●お問い合わせ
https://www.kadokawa.co.jp/（「お問い合わせ」へお進みください）
※内容によっては、お答えできない場合があります。
※サポートは日本国内のみとさせていただきます。
※ Japanese text only

定価はカバーに表示してあります。

ISBN 978-4-04-896785-3　C0011